D0294113

I Canguri/Feltrinelli

BERNARD MAC LAVERTY
Cal

Traduzione di Grazia Gatti

Feltrinelli

Titolo dell'opera originale
CAL

Traduzione dall'inglese di
GRAZIA GATTI

Prima edizione ne "I Canguri" febbraio 1993

ISBN 88-07-70031-X

Per mio fratello Peter

1

Stava in piedi vicino all'entrata posteriore del mattatoio, con le mani in tasca e lo stomaco attanagliato nella morsa del desiderio. Uomini in grembiule bianco e cappellini da baseball in testa si aggiravano tra le carcasse appese fischiando e gridando. Non riusciva a vedere suo padre, e tuttavia non voleva spingersi oltre la soglia. Conosceva il tiepido odore dolciastro e nauseabondo di quel posto e non aveva ancora fatto colazione. E neanche fumato la sua prima sigaretta. Gli odori erano tutti più intensi a quell'ora. Di tanto in tanto sotto il soffitto di vetro riecheggiava il secco crepitio della pistola da macello. In lontananza gli animali in fila muggivano come se sapessero cosa li aspettava.

Vide il Predicatore in piedi con il bicchiere in mano. Era la ricetta che il medico locale prescriveva a tutti gli anemici forti di stomaco. Il Predicatore era un uomo alto e magro con il pomo di Adamo di un avvoltoio e la carnagione resa se possibile ancora più pallida dalla luce che si rifletteva sulle piastrelle bianche. Andava in giro per la campagna su un catorcio di bicicletta, con una piccola scala attaccata alla canna e un mucchio di attrezzi nella borsa, ad attaccare su alberi e pali del telegrafo moniti incisi su pezzi di tolla. "La ricompensa del peccato è la morte. Romani 8, 6" era appeso a un platano sulla strada per Magherafelt; e un po' più avanti: "Io sono la Resurrezione e la Vita. Giovanni 11, 25".

Crilly si avvicinò al cancello per affilare i coltelli.

"Ciao Cal," disse. Cal lo vide spingere con le dita la lama contro la mola e sentì il sibilo.

"Hai visto in giro mio padre?"

Crilly si fermò e voltando la testa verso di lui annuì.

"Puoi dirgli che ho bisogno di parlargli?" riprese Cal.

"Tra un attimo." Esaminò il taglio consumato della lama sollevandola obliquamente e la sfiorò appena con il polpastrello del pollice. La passò ancora un paio di volte sulla pietra con una leggera carezza, come per ripulirla, poi tornò dentro.

"Shamie!" gridò. "Shamie!"

La pistola da macello crepitò di nuovo e Cal vide la piattaforma della morte capovolgersi, rovesciando sul pavimento un animale con le zampe tese verso il soffitto. Lo sollevarono subito per una delle zampe posteriori con un argano e gli tagliarono la gola. Il Predicatore si avvicinò tendendo il bicchiere per raccogliere il fiotto di sangue. Cal si voltò dall'altra parte.

Tra le due metà di una carcassa appesa, che teneva aperte come fossero state tende, comparve suo padre. Quando scorse Cal si avvicinò al cancello.

"Cosa vuoi?"

"Ti sei portato via le sigarette."

"Qui," rispose il padre sporgendo in avanti un'anca. Aveva le mani bagnate e appiccicaticce e le teneva alzate come durante una perquisizione dell'esercito. Cal sollevò un lembo del grembiule bianco, tutto imbrattato di sangue e incrostato di grasso rappreso. Gli infilò una mano nella tasca dei calzoni e ne estrasse un pacchetto di Embassy.

"Prendine un paio," disse il padre. Lui tolse tre sigarette dal pacchetto e lo rimise a posto. Poi prese a frugare nella propria tasca alla ricerca dei fiammiferi.

"Ci vediamo più tardi," lo salutò incamminandosi. Sfregò un fiammifero, protesse la fiamma con le mani e si accese una sigaretta, inspirando a fondo. Quasi immediatamente sentì i muscoli dello stomaco rilassarsi. Fermo in piedi, spinse più e più volte il fumo fino in fondo ai polmoni, buttandolo fuori ogni volta con un sospiro. Riprese a camminare con la sigaretta tra le labbra e le mani infilate nelle tasche della giacca a vento. Era una mattina d'autunno e l'aria era piena di suoni puliti. Mentre passava accanto al recinto del bestiame udì il lamento nasale degli animali e quando fu più vicino distinse il tonfo lento dello sterco che cadeva sul terreno. Voltò la faccia dall'altra parte e si diresse verso casa a prepararsi una tazza di tè e ad aspettare l'assegno del sussidio di disoccupazione.

Appena imboccata la via in cui abitava, cominciò a sentirsi osservato. Tenne lo sguardo fisso a terra e continuò a camminare. Lo osservavano da dietro le tende o dalle siepi; in un giardino un uomo aveva smesso di scavare al suo passaggio. Cal non sopportava l'idea di alzare gli occhi e vedere sventolare le bandiere inglesi e ora anche lo stendardo dell'Ulster con la mano rossa e la croce rossa in campo bianco. Negli ultimi tempi se ne vedevano sempre di più nel quartiere. Era un segno pericoloso: voleva dire che i lealisti si stavano inalberando. Ormai non avrebbero più dovuto esserci bandiere in giro, il dodici di luglio era passato da un pezzo. Le tenevano lì per pura caparbietà. Anche con lo sguardo fisso a terra Cal non poté evitare un moto di disgusto: il bordo del marciapiede era dipinto a strisce rosse, bianche e blu. Ebbe la sensazione che si trattasse di un gesto diretto contro di loro, i Mc Crystal, dato che lui e suo padre erano l'unica famiglia cattolica rimasta nel quartiere. La paura aveva spinto gli altri a trasferirsi, ma suo padre non aveva intenzione di andarsene. Se in condizioni normali era un testardo, quando si convinceva che volevano costringerlo a fare qualcosa diventava dieci volte peggio.

"Nessun bastardo di un lealista riuscirà mai a cacciarmi da casa mia. Dovranno passare sul mio cadavere."

Ma non era un solo bastardo a preoccupare Cal, era il loro insieme. Lo spirito di comunità che erano riusciti a creare lo infastidiva, e più quello spirito comunitario si rafforzava più i Mc Crystal si sentivano esclusi e isolati. Erano abbastanza in buoni rapporti con i vicini, ma chiunque altro nel quartiere sembrava costituire una minaccia. I Radcliff e gli Henderson dicevano che erano pronti a schierarsi dalla loro parte, se avessero ricevuto lo sfratto.

Cal detestava l'aria di condiscendenza di certi protestanti che gli capitava di incontrare in città.

"Tu sei il figlio di Shamie Mc Crystal? Davvero un brav'uomo, Shamie." E sottinteso c'era sempre "... per essere un cattolico." Dai loro volti traspariva un vago e affettuoso stupore al pensiero che potesse esistere un cattolico che era anche un brav'uomo, un uomo uguale a loro.

Cal varcò il cancello, risalì il vialetto che attraversava l'ordinato giardino di suo padre ed entrò in casa dalla porta principale, aprendola con le proprie chiavi. Si portò in camera una tazza di tè e una fetta di pane tostato e invece di aprire le tende accese la luce. Chiuse la porta della stanza con un piccolo chiavistello comprato non molto tempo prima in un negozio di ferramenta. Suo padre aveva apertamente disapprovato quella decisione, ma lui si era difeso sostenendo che a diciannove anni aveva ben diritto a un po' di privacy. Mise un disco dei Rolling Stones per soffocare il silenzio e si sedette sul letto, con la schiena appoggiata al muro.

Chinò il capo e bevve un sorso di tè. Con i capelli così lunghi aveva finito per adottare dei gesti effemminati, come un certo modo di trattenerli con una mano per non farli entrare nella tazza. Li portava con la riga nel mezzo, come due tende che gli scendevano sui lati del viso. Quando suonava la chitarra da solo aveva l'abitudine di scuotere la testa da una parte e dall'altra, come per un tic, finché i capelli non gli coprivano la faccia, nascondendolo al resto del mondo. Riparato dalla tenda di capelli, con gli occhi chiusi, ascoltava i suoni prodotti dalle sue dita che pizzicavano le corde e cantava con accento americano le canzoni che aveva imparato dai dischi. Non aveva nessuna spiegazione per quel tic. Era come un tentativo di liberarsi da qualcosa, da un eccesso che si esprimeva con un movimento spasmodico. Aveva anche l'abitudine di insultarsi in un francese maccheronico. A scuola aveva imparato ben poco di francese, ma ricordava abbastanza da borbottare tra sé e sé scuotendo la testa : "*Cochon, merde*". Era come se si fosse bloccato lì; quell'espressione continuava a tornargli in mente. Cal si chiedeva persino se fosse grammaticalmente corretta. Non che facesse molta differenza, dato che si inventava anche esclamazioni che erano un misto multilingue:

"Porca *vache. Crotte de chien* che non sei altro".

Si svegliava alla mattina con una di quelle ridicole espressioni in testa e se la portava dietro per tutto il giorno, come un'indigestione. A volte avrebbe voluto conoscere più lingue per poter imprecare in modo ancora più accurato. Ma a questo pensiero non poteva fare a meno di sorridere.

Non assaggiò nemmeno il pane tostato e raffreddandosi il burro tornò a solidificarsi. In nome della Causa aveva cercato di imparare un po' di gaelico da un libro che aveva comprato a una vendita di beneficenza, ma non sapeva mai come pronunciare quello che vedeva scritto. Come si leggevano '*bh*' e '*dh*'? Le parole restavano simboli stampati, chiusi nella sua testa, che lui presto dimenticava. Prima o poi avrebbe fatto un corso e le avrebbe sentite pronunciare.

Tirò fuori la sua seconda sigaretta, la raddrizzò stringendola piano tra le dita e la accese. Da uno spiraglio tra le tende un raggio di sole entrò nella stanza, illuminando nettamente una spirale di fumo. Quando il disco finì, Cal si avvicinò alla finestra e sbirciò fuori. Il giardino sul retro lasciava il posto a un campo di orzo e al di là all'azzurro delle montagne dello Slieve Gallon. Non si muoveva foglia. Cal aprì la finestra per fare uscire il fumo, ma lasciò le tende tirate; tornato a sedersi sul letto le vide gonfiarsi e distendersi spinte da una brezza leggera. Dalla finestra aperta entravano i rumori della vita: il cinguettio monotono dei passeri, una macchina che accelerava, i bambini che strillavano in lontananza nel cortile della scuola. Quella tranquillità lo innervosiva. Cominciò a limarsi le unghie sulla striscia di carta vetrata della scatola di fiammiferi. Aveva le unghie della mano sinistra tagliate molto corte e le punte dei polpastrelli erano diventate dure come cuscinetti di cuoio su cui il segno delle corde restava impresso a lungo, anche dopo aver smesso di schiacciarle. Quelle della mano destra invece erano lunghe come plettri. Muoveva la scatola nella direzione di crescita delle unghie; limarle nell'altro senso – contrario alla crescita – gli dava una sensazione che non gli piaceva. Le dita tra cui teneva la sigaretta erano leggermente ingiallite per la nicotina. Il silenzio gli fece venir voglia di mettere un altro disco. Si irrigidì sentendo un rumore al piano di sotto: c'era qualcuno alla porta. Uscì dalla sua camera e passò in fretta nella stanza di suo padre, che dava sul fronte della casa. Tenendosi di fianco alla finestra guardò giù e vide che era soltanto il postino che stava chiudendo il cancello. Scese da basso e trovò il suo assegno sullo zerbino.

Cal era l'ultimo della coda all'ufficio postale. Si chiese come mai Mrs Doyle, la padrona dell'edificio, non avesse preso precauzioni per la sicurezza dei locali. Nella città vicina l'ufficio postale era stato ristrutturato e la grata sostituita con un vetro antiproiettile. Un posto così era un lavoretto facile e c'erano un sacco di soldi in giro. Sentì lo stomaco che gli si contraeva al pensiero e per distrarsi si mise a osservare un manifesto appeso al muro che esortava a prendere misure preventive contro i parassiti agricoli.

Intascati i soldi andò a comprarsi un pacchetto di sigarette e prese ad armeggiare alla ricerca della linguetta rossa con cui strappare il cellophane che lo ricopriva. Quando fu per strada si accese una sigaretta e si fermò sull'angolo, con le mani infilate nelle tasche dei calzoni. Arty Mc Glynn lo raggiunse, sorridente per aver a sua volta appena incassato l'assegno. Erano stati compagni di scuola.

"Ciao, Cal."

"Ciao." Cal tirò fuori una mano di tasca per togliersi la sigaretta di bocca e sputò sulla strada, coprendo una distanza considerevole.

"Come te la passi con questo tempaccio?" Cal ci pensò su.

"Mi scaldo da solo," rispose. Sputò di nuovo e si allontanò lungo la Main Street, diretto verso la biblioteca. Era un negozio riadattato, con qualche libro esposto in vetrina. All'interno un paio di uomini anziani sfogliavano i giornali e un altro paio curiosavano tra gli scaffali. La sala era calda e tranquilla e Cal aveva scoperto che era un posto piacevole in cui trascorrere un po' di tempo. Aveva dei tagliandi che usava di tanto in tanto per prendere in prestito dei nastri, ma raramente gli capitava – se gli capitava – di prendere a prestito un libro. Andò a sedersi su una sedia e diede una scorsa al *Time*. La rivista aveva un servizio illustrato sull'Irlanda del Nord e Cal si sentì stranamente orgoglioso al pensiero che il paese in cui viveva trovasse tanto spazio su un periodico così importante. Quando andava a scuola lui, era un avvenimento se durante il telegiornale veniva nominata l'Irlanda del Nord. Alzò lo sguardo dalla rivista e notò che dietro il banco c'era una nuova bibliotecaria. Era piccola e scura di capelli, con gli occhi di un marrone intenso; sembrava intonarsi alla perfezione al legno dell'arredamento. Consultava lo schedario aprendo i piccoli cassetti e facendo scorrere i cartoncini tra le dita rapide. Per un attimo sollevò gli occhi oltre il mobile e li posò solennemente su Cal. Cal le restituì lo sguardo, ma lei si volse verso un signore che aspettava e sorridendo prese a timbrargli i libri a una velocità sorprendente. Sembrava straniera, aveva quel colorito scuro che lo faceva pensare alla Francia. Cercò di indovinare che età avesse, ma non ci riuscì. Non doveva essere più tanto giovane, forse vicina ai trenta.

Cal si avvicinò allo scaffale girevole su cui erano esposte le cassette, vicino al bancone, in modo da poterla osservare più da vicino. Fece girare lo scaffale, fissandola mentre metteva in ordine i tagliandi. Si presentò un altro signore anziano con una pila di gialli, li appoggiò e appese il bastone al bordo del banco. Cal guardò la canna che ondeggiava lentamente avanti e indietro. Il vecchio si sporse in avanti, con i gomiti appoggiati sul piano di legno, e la donna gli sorrise e si intrattenne con lui come se lo conoscesse. Con un cigolio Cal fece girare di nuovo lo scaffale con i nastri, continuando a osservarla tra una cassetta e l'altra, desiderando che lei lo guardasse ancora. Aveva una bocca deliziosa, come gli occhi del resto. Mentre parlava si muoveva in un modo splendido. Timbrò i libri del vecchio e ritirò i suoi tagliandi, facendoci scivolare dentro le schede dei volumi. Quando l'operazione fu conclusa, l'uomo sollevò il bastone e sembrò considerare con un certo imbarazzo la quantità di libri che aveva preso in prestito.

"Allora tanti auguri, Marcella," disse.

Marcella.

"Oh Gesù!" esclamò Cal tra sé e sé. Marcella. Spinse nuovamente lo scaffale. La struttura mandò un leggero cigolio e Cal vide la propria mano ferma a mezz'aria, come ghiacciata. In quel preciso istante lei lo guardò e sorrise. Cal tentò di muovere la bocca per fare altrettanto, ma i muscoli della faccia non gli obbedirono. Marcella.

Uscì dalla biblioteca incespicando alle calcagna del vecchio e quando fu per strada ripeté ad alta voce l'esclamazione.

"Oh Gesù!" Scosse la testa come se un insetto gli stesse entrando in un orecchio.

Gli ci vollero tre fiammiferi per accendersi una sigaretta. Si avviò verso casa, ma arrivato all'angolo dell'ufficio postale si fermò un attimo. Non potevano esserci molte Marcelle in giro. Chiuse gli occhi e appoggiò la testa al muro di mattoni. Poi, un po' correndo e un po' camminando, tornò a casa. Stava fermo nel mezzo della sua stanza, senza sapere cosa fare: doveva essere lei. Cercò di ricordare la sua faccia, ma non ci riuscì. Si sedette sul letto, si rialzò per andare a guardare fuori dalla finestra e finì per passeggiare su e giù per la stanza. Però poteva anche non essere lei. Forse guardandola in faccia sarebbe riuscito a capirlo. Ma se davvero era lei, avrebbe mai potuto rimettere piede in quella biblioteca? Più ci pensava, più si sentiva affascinato e incuriosito. Provava un disperato bisogno di ricordare il suo viso, ma riusciva soltanto a rivedere un vago insieme di lineamenti che – lo sapeva – non erano i suoi. Se doveva andarci, doveva farlo subito. Rovistò nel cassetto, frugando tra accendini inutilizzabili e penne scariche, e ne tirò fuori due tagliandi marroni; quindi tornò in fretta alla biblioteca.

Appena entrato udì il rumore del proprio respiro nella sala silenziosa. La donna che aveva sentito chiamare Marcella stava bevendo una tazza di caffè. Studiò il suo volto, cercando di leggervi se si trattasse davvero di *quella* Marcella. Non riusciva a toglierle gli occhi di dosso, non per quello che era ma per quello che lui poteva averle fatto. I suoi gesti, il modo in cui sollevava la tazza e la portava alle labbra prima di bere, ogni espressione del suo viso lo ipnotizzavano. Scelse una cassetta di blues di Muddy Waters, si avvicinò al banco e aspettò. La donna bevve un breve sorso, depose la tazza e andò verso di lui. "Sì?" Cal la fissò, facendo scorrere lo sguardo su ciò che di lei poteva vedere al di sopra del banco. Era venuto in biblioteca a prendere in prestito un po' di tempo. Indicò la cassetta e il tagliando. Aveva le unghie chiare, senza smalto, e portava una vera d'oro all'anulare. Trovò quello che stava cercando e si spostò leggermente per prenderlo.

"Grazie, Mr Mc Crystal," disse. Cal sollevò lo sguardo meravigliato, poi ricordò che sul tagliando c'era il suo nome. La donna appoggiò la scatola con la cassetta sul banco e Cal rimase a osservare le impronte lasciate dalle sue dita calde evaporare dalla plastica. *Merde. Crotte de chien.* Merdissima.

Quando suo padre tornò a casa all'ora di cena, aveva addosso l'odore del macello. Cal cercò di non respirare dal naso mentre si muovevano insieme nella piccola cucina. Shamie si lavò le mani enormi e le braccia su fino ai gomiti con un sapone al fenolo. Poi si sciacquò la faccia, schizzando e sbuffando rumorosamente, chino sul lavabo.

"Asciugamano," ordinò tenendo gli occhi strettamente chiusi.

Cal glielo passò. Stava friggendo la cena: uova, bacon, pezzi di sanguinaccio e fette di pane. Quando Shamie si fu asciugato, la sua faccia era rossa e lucida come se invece dell'acqua ci avesse passato un foglio di carta vetrata.

"Ci sono dei teppistelli là fuori," disse.

Cal abbandonò la padella per andare in soggiorno a sbirciare tra le liste della veneziana abbassata. Quattro ragazzi in giubbotto di jeans stavano appoggiati al muretto del giardino, in fondo alla strada. Uno di loro, che portava una sciarpa rossa bianca e blu annodata al collo, teneva d'occhio la casa dei Mc Crystal. Vide le liste della veneziana muoversi e alzò un braccio a indicarle. Gli altri si voltarono a guardare. Il più grosso, con un paio di scarponi neri da clown e le bretelle rosse, mostrò a Cal il medio sollevato.

"Lasciali perdere!" gli gridò suo padre. "Queste uova stanno diventando suole di scarpe."

Cal tornò indietro di corsa e servì le uova con la paletta. Mise tutto il sanguinaccio nel piatto del padre: lui lo detestava perché era fatto di sangue e assomigliava a fette di verruche avvolte in pezzi di scotch nero.

Si sedettero a cena guardando il telegiornale. I soldati avevano sparato a un sordomuto perché dicevano di avergli visto addosso delle armi, ma quando erano arrivati a perquisire il cadavere un complice aveva già asportato la pistola. Un cattolico, padre di tre figli, era stato pugnalato a morte a una delle entrate del centro di Belfast. La polizia non aveva trovato movente per il delitto. Gerry Fitt si era appena fatto montare in casa una porta blindata.

"Nessun lavoro oggi sul giornale?" chiese Shamie.

Cal, che aveva la bocca piena, scosse il capo. Dopo aver deglutito disse:

"Un paio a Belfast".

"Sei più al sicuro lontano da quella città."

Quando ebbero finito di mangiare Cal sparecchiò e lavò i piatti, mentre suo padre leggeva il giornale.

"C'è una nuova che lavora alla biblioteca," disse Cal dalla cucina.

"Hm-hm?"

"Una certa Marcella qualcosa."

"Dev'essere Marcella Morton. Ho sentito i ragazzi dire che si era trovata un lavoro per passare un po' di tempo fuori di casa."

Cal chiuse gli occhi: era proprio lei. Stando immerse nell'acqua calda dei piatti, le unghie gli si erano ammorbidite. Le passò sul fondo del catino in cerca dell'ultimo cucchiaio. Oh Gesù. Lo asciugò e lo ripose nel cassetto. Non sapeva come, ma in un modo o nell'altro doveva riparare a quello che le aveva fatto. Raccolse le pelli del sanguinaccio rimaste nello scarico del lavandino. Erano molli e scivolose e Cal rabbrividì prendendole in mano per buttarle nella spazzatura. L'acqua era una specie di brodaglia grigia su cui galleggiavano minuscoli cerchietti gialli di grasso. Quando la rovesciò con decisione nel lavandino un ultimo cucchiaino cadde fuori con un rumore secco.

"C'è sempre uno sporco bastardo."

Si asciugò le mani, tolse tre sigarette dal pacchetto e le fece rotolare sulla mensola del camino per il padre. Poi andò in camera sua a rimangiarsi le ceneri di quello che aveva fatto.

Il giorno dopo Cal dovette uscire perché aveva finito le sigarette. Andò a piedi fino in centro, nonostante ci fosse un tabaccaio anche in fondo alla strada. Il tempo era cambiato e minacciava di piovere. I corvi dietro la chiesa facevano un gran fracasso e nella sua stanza una mosca aveva continuato a posarglisi addosso, incurante di tutte le volte che lui l'aveva scacciata. Stando a suo padre entrambi i segni preannunciavano un lungo periodo di pioggia.

Comprò un pacchetto di sigarette e andò alla biblioteca. Quella mattina lei era vestita diversamente, portava una camicetta bianca immacolata con un colletto che si annodava sul davanti con un fiocco. Sentendolo entrare alzò per un attimo lo sguardo e tornò subito a posarlo su ciò che stava scrivendo appoggiato al banco, come se lui non esistesse. Cal attese con in mano il nastro di Muddy Waters. Da quando aveva comprato le sigarette, la tensione allo stomaco era andata crescendo. Ora se lo sentiva così contratto che se ci avesse lasciato cadere sopra una manciata di biglie avrebbero rimbalzato. La sala era piena di cartelli con scritto "Vietato fumare". Un avviso sopra il bancone informava il pubblico sugli orari di apertura della biblioteca. Cal la guardò di nuovo, ma lei era immersa in quello che stava facendo e teneva gli occhi bassi. Sotto la camicetta, nei punti in cui toccava la stoffa, si intravedeva il disegno irregolare del suo corpo. Era da stupidi restituire una cassetta presa in prestito solo il giorno prima; forse se ne sarebbe accorta. Provò l'impulso di allungare una mano a toccare la sua sul banco per dirle che sarebbe andato tutto bene. Lei riprese il nastro con aria efficiente e in tutta la sua bellezza, ma senza la minima partecipazione personale. Cal si mise a sfogliare le riviste osservandola, finché il bisogno di una sigaretta lo costrinse a uscire.

Arrivato a casa si buttò sul letto e rimase lì a fumare e ad ascoltare la radio fino alle cinque e venti. Quando uscì pioveva forte; le gocce cadevano picchiettanti sullo strato di acqua che si era depositato sul marciapiede senza avere tempo di scorrere via. Tirò su il cappuccio della giacca a vento, infilandoci dentro i capelli da tutte e due le parti. Dopo un po', camminando sotto la pioggia, la sua fronte si colorò di neroverde. Rimase ad aspettare gocciolante sotto il portone di un negozio davanti alla biblioteca fino alle sei meno venti.

Lei uscì, infilandosi un impermeabile beige. Guardò la pioggia con un'espressione corrucciata, poi si mise a correre – una corsa rigida e un po' impacciata – verso il fondo della Main Street. Cal la seguì, tenendole dietro a un'andatura sostenuta. La vide entrare nel parcheggio fuori dalla zona presidiata e salire su un'Anglia gialla, ma quando la macchina gli passò di fianco non riuscì a distinguere il suo viso dietro al finestrino appannato e ai tergicristalli che andavano.

Arrivò a casa bagnato fradicio. Suo padre si muoveva rumorosamente in cucina preparando la cena e dal tipo di rumore che faceva Cal capì che era arrabbiato.

"Dove sei stato?"

"A fare due passi."

"Gesù... te ne sei stato seduto in quella maledetta stanza per tutta l'estate e il giorno che piove decidi di andare a fare due passi!"

Cal appese la giacca a vento e cominciò ad asciugarsi i capelli con una salvietta.

"Potevi almeno mettere su le patate prima di uscire. Quando uno ha una giornata di lavoro sulle spalle, l'ultima cosa che si augura è di tornare a casa e doversi cucinare la cena. Se tu lavorassi ci penserei io. Ma non hai un accidenti da fare tutto il giorno, tranne prepararmi da mangiare alle cinque."

"Era quello che stavo per fare," ribatté Cal. "Mi hanno trattenuto in città."

Il padre aveva cominciato ad apparecchiare la tavola. Riempì il bricco del latte, mise la bottiglia vuota sotto il rubinetto dell'acqua fredda e ci lasciò scorrere un po' d'acqua. Sciacquò la bottiglia e poi versò l'acqua nel bricco.

"Preferirei che non lo facessi," protestò Cal.

"Il risparmio è il miglior guadagno."

"Ma così il latte ha un sapore strano."

"Non dire stronzate."

Mentre aspettavano che le patate bollissero guardarono il telegiornale. Non dovevano esserci stati morti, dato che la prima notizia riguardava i posti di lavoro da tagliare nei cantieri di Belfast. Tre uffici postali erano stati rapinati nella provincia, per un totale di 15.000 sterline.

"Metti su le salsicce, a fuoco basso," disse il padre.

Mentre mangiavano Shamie gli riferì che Crilly voleva che passasse da lui alle nove.

"A far cosa?"

"Non lo so. Non me l'ha detto."

"Posso prendere il furgone?"

Il padre di Cal guardò fuori dalla finestra e rispose di sì.

"Quel ragazzo ha qualcosa che non mi piace," aggiunse. "Fin troppo furbo. Non mi piace che tu ci vada in giro insieme."

Cal non disse nulla e Shamie riprese:

"Non mi è mai andato giù che abbia preso il posto che tu hai rifiutato perché lo stomaco non ti reggeva. Adesso lui ha soldi da buttare e tu vai in giro a elemosinare le sigarette. Per non parlare della figura che mi hai fatto fare".

Cal si scusò e si alzò, lasciando la maggior parte della cena nel piatto.

"Lascia stare la tavola. Ci penso io più tardi."

"Questa l'ho già sentita," gli gridò dietro suo padre. "Se non mangi muori."

Cal si stese sul letto a fumare. Che cosa voleva Crilly? Aveva sperato che si fosse dimenticato di lui, che l'avesse messo da parte come un buono a nulla. Era sicuro che adesso sarebbe ricominciato tutto da capo.

Lui e Crilly avevano frequentato la stessa scuola, ma solo per un anno – il terzo – la stessa classe. Era cosa saggia stare dalla sua parte perché già allora Crilly sapeva essere davvero sgradevole quando voleva. Era grosso per la sua età, con grandi orecchie che gli spuntavano ad angolo retto ai lati della testa. Una volta un ragazzo le aveva paragonate alle portiere di un taxi e la battuta gli si era ritorta contro: nonostante l'avversario fosse decisamente più piccolo di lui, Crilly non si era fatto scrupoli a rompergli due denti. Aveva intorno anche certi tipi da cui aveva cominciato a prendere in prestito soldi, tipi in giacca e cravatta. Quando li vedeva ammetteva educatamente che doveva loro del denaro e li assicurava che presto avrebbe saldato il debito. Ma non lo saldava mai. Uno di loro un giorno insistette perché Crilly gli restuisse quello che gli doveva e Crilly lo afferrò per il colletto e la cravatta, stringendoli nel pugno chiuso.

"Vuoi dire che sono un ladro?"

Lo sbatté contro il muro e tirò indietro l'altra mano.

"Puoi aspettarli i tuoi soldi, amico. Oggi ti sei messo proprio in fondo alla coda." Non lo colpì, non ce ne fu bisogno.

Persino i professori riconoscevano che Crilly sapeva come sistemare le cose. L'anno in cui Cal e Crilly erano in terza, un ragazzo di quarta aveva cominciato a far circolare a scuola delle fotografie pornografiche. Era stato Padre Durkin a parlarne apertamente durante l'ora di religione.

"Le immagini oscene, ragazzi, distruggono sia le donne che ritraggono, sia gli uomini che le guardano. Se potessi mettere le mani sul fornicatore che va avvelenando le menti degli allievi di questa scuola, lo fustigherei sino a levargli la pelle. *Esiste* un sentimento che si chiama ira dei giusti."

Sembrava davvero arrabbiato e preoccupato. Passeggiando su e giù tra le file di banchi, sferzava l'aria con il bastone sottile per sottolineare le proprie parole.

"Sappiamo che si tratta di un ragazzo del quarto anno, ma la trasgressione è così grave che nessuno ha il coraggio di darci l'informazione che ci serve."

Si fermò proprio davanti a Crilly e riprese:

"Un alunno intelligente potrebbe scoprire chi fa circolare queste cose indecenti e..." sorrise vagamente, "se succedesse qualcosa, la maggior parte del corpo insegnante farebbe in modo di guardare da un'altra parte. Credete che un verme come quello andrebbe a casa a raccontare che gli hanno fatto un occhio nero perché faceva circolare fotografie pornografiche tra i compagni più giovani?"

Finita la lezione Crilly andò in bagno, come sempre, a fumarsi una sigaretta e Cal lo vide mescolarsi ai ragazzi di quarta e fare domande, la sua testa allo stesso livello della loro. Dopo un po' disse a Cal di stargli di fianco mentre metteva nell'angolo un certo Smicker e lo spingeva piano in un gabinetto. Cal aveva il compito di infilarsi dentro prima che quello riuscisse a chiudere a chiave la porta. Crilly lo afferrò per le spalle e dandogli all'improvviso una testata in piena faccia lo buttò a sedere sulla tazza. Dal naso di Smicker cominciarono a uscire sangue e umori. Si asciugò il labbro superiore e rimase a fissare la striscia di rosso sul dorso della mano. Crilly cominciò a rovistargli nelle tasche e passò a Cal, alle sue spalle, due fotografie delle dimensioni di grandi francobolli con il bordo nero su cui si vedevano i segni bianchi dei fori di caricamento della pellicola.

"Dove sono le altre?"

"Le ho date via." Smicker si teneva il viso tra le mani e piangeva, mentre Crilly continuava a frugarlo.

"Porco, le hai vendute," disse e Cal udì un tintinnio di monete cambiare di tasca. Dopodiché Crilly lo sollevò di peso e gli sbatté un ginocchio nelle palle. Smicker si piegò in due, con il fiato mozzo, e Crilly lo colpì di nuovo con il ginocchio sulla fronte. Il ragazzo scivolò a terra da un lato, sbattendo l'orecchio e la tempia contro la parete separatoria dei gabinetti. Cal udì un sordo rumore di ossa quando la schiena di Smicker urtò il bordo di maiolica della tazza. Fuori dal gabinetto i ragazzi battevano i piedi e gridavano: "Botte, botte, botte". Alcuni si erano arrampicati sul pannello divisorio e appesi lassù guardavano la scena. Smicker era raggomitolato in un angolo, con le ginocchia strette contro il mento e le mani tra le cosce.

"Fuori di qui!" disse Crilly a Cal e corsero via insieme.

Più tardi Crilly diede un'occhiata alle fotografie e scoppiò a ridere. Le mostrò a Cal che fino ad allora non aveva avuto il coraggio di guardarle. Erano un po' sfuocate e gli occhi delle donne che vi erano ritratte riflettevano la luce del flash. Giacevano nude con le gambe divaricate e un sorriso imbarazzato sulle labbra. Stavano su un divano qualunque e dietro di loro il muro era tappezzato con carta da poco, molto simile a quella che il padre di Cal aveva usato per tappezzare il loro soggiorno. Per vederle bene Cal doveva tenere le fotografie a pochi centimetri dagli occhi.

Si sentiva le ginocchia che gli tremavano e tutti e due avevano voglia di ridere per la tensione nervosa accumulata durante il pestaggio. Crilly, che aveva bisogno di consenso, tornò più e più volte sull'accaduto.

"Hai visto che faccia ha fatto quando l'ho colpito alle palle?"

Cal annuì. Mentre parlavano Crilly si mise in tasca le fotografie e Cal non le rivide mai più.

Qualche settimana dopo si trovarono per caso a camminare dietro a Smicker nel corridoio. A un tratto da un buco sul fondo della borsa gli cadde per terra la penna. Crilly voleva tenersela, ma Cal che l'aveva raccolta corse dietro al ragazzo di quarta e gliela rese.

"Leccapiedi!" esclamò Crilly quando Cal tornò indietro tutto rosso in viso.

Se la storia stava per ricominciare da capo significava che doveva affrontarlo, dirgli che non voleva più averci niente a che fare. Era in gran parte colpa di Crilly se da un anno Cal si sentiva lo stomaco come un asse per lavare. E pensarci lo faceva stare anche peggio.

Buttò giù le gambe dal letto e scese in cucina, ma suo padre aveva già lavato i piatti e ora russava sonoramente davanti a *Nationwide*. Cal vide un coperchio appoggiato sul piatto con la cena che non aveva mangiato: piuttosto che buttarla via Shamie se la sarebbe riscaldata più tardi. Si avvicinò alla finestra e guardò fuori tra le stecche della veneziana. La pioggia cadeva fitta nella strada deserta. Almeno per quella sera niente pestaggi; il brutto tempo teneva i protestanti in casa.

Prese le chiavi del furgone dalla brocca di peltro sulla mensola del camino e uscì senza fare rumore. Pensò di partire in direzione opposta a quella in cui abitava Crilly, ma poi si disse che era meglio farla fuori subito.

Crilly gli venne ad aprire a piedi nudi.

"Mc Crystal. Dove ti eri cacciato?"

La madre di Crilly sbirciò nel corridoio per controllare chi fosse. Era sdentata e portava un maglione rosa come le cicche da masticare. Cal non riuscì a vedere se sotto i capelli ricci avesse anche lei le orecchie a sventola.

"È Cal, mamma!" le disse Crilly. Lo fece entrare nel soggiorno con il pavimento moquettato. Seduto sulla poltrona accanto al camino c'era Finbar Skeffington; teneva le gambe corte tese davanti a sé e si fissava le scarpe lucide. Il camino era spento. Skeffington guardò Cal e si alzò a stringergli la mano.

"*Go mbeannuigh Dia duit,*" lo salutò.

"*Dia is Muire duit,*" rispose Cal. Fin lì ci arrivava.

Presero tutti posto e Crilly appoggiò i piedi nudi sulla sedia, stringendosi le caviglie con le mani. Skeffington era un uomo basso, con gli occhiali portati su un viso tondo; doveva essere sulla trentina. Indossava giacca sportiva e cravatta, e sul risvolto della giacca aveva appuntato il distintivo di un'associazione contro l'alcolismo. I suoi denti ricordavano a Cal quelli di un coniglio, un'impressione rafforzata dall'abitudine che Skeffington aveva di aggiustarsi gli occhiali sul naso con una smorfia che gli corrugava tutta la faccia.

"Come stai, Cahal?"

"Bene."

"E tuo padre?"

"Oh, benissimo. L'ho lasciato che dormiva davanti alla televisione."

"Mi fa piacere. Avrai sentito che ieri notte hanno preso Gerry Burns e Peter Fitzsimmons..."

Cal annuì.

"Stiamo perdendo troppi buoni elementi. È per questo che volevamo vederti, Cahal."

"E perché? Io non c'entro."

Skeffington sorrise. "Non è questo che volevo dire. Abbiamo bisogno di un autista."

"Ah."

"Proprio così, ragazzo," disse Crilly. "Torni a sgommare e a far stridere i freni." Aspirò rumorosamente per imitare il rumore.

"Abbiamo bisogno di fondi," spiegò Skeffington intrecciando le dita. "I soldi degli americani stanno finendo. Dei nostri che sono in carcere non si parla più e nessuno ci manda più dollari. È arrivato il momento di procurarci da soli i finanziamenti che ci servono."

"E come?" chiese Cal. Skeffington scrollò le spalle.

"Non ce li regaleranno, questo è certo."

"Dobbiamo prenderceli, vecchio mio." Crilly puntò l'indice contro Cal e raddrizzò il pollice. "Un'acrobazia degna di Dick Turpin il brigante, o del buon Robin Hood."

"A proposito di Robin Hood, mio padre mi ha raccontato una storia fantastica successa a Belfast. L'avete sentita?" chiese Skeffington.

Gli altri due scossero il capo.

"Vi piacerà!" E scoppiò a ridere scoprendo i denti, simile più che mai a un coniglio. "È successo durante lo sciopero degli affitti. La protesta andava avanti da così tanto tempo che la gente cominciava a temere di non riuscire più a rimettersi in pari con i pagamenti, così i nostri ragazzi hanno deciso di fare un bel lavoretto. Si sono procurati i fondi ripulendo un paio di posti – un supermercato e una sala corse, credo – e sono passati porta per porta in New Lodge Road, dando a ogni famiglia quello che serviva per pagare gli arretrati. Poi qualcuno ha chiamato l'amministratore perché facesse il giro a riscuotere gli affitti. Me lo vedo: doveva essere il ritratto della felicità mentre scribacchiava sul suo libricino. Uscito dall'ultima casa si è trovato davanti i nostri che lo aspettavano." Imitò il gesto di Crilly con l'indice puntato e il pollice sollevato. "'Questi ce li prendiamo noi', gli hanno detto." Esplose in una risata e si batté una mano sulla coscia. "Non è straordinario? Tutti in regola e l'amministratore è rimasto senza niente in mano."

"Grande!" esclamò Crilly.

"Storie come questa fanno bene al morale. Se anche non succedessero dovremmo inventarcele. Vinta la guerra della propaganda il resto viene da sé."

"E per questi soldi?" chiese Crilly.

"Dobbiamo pensare a un posto con la cassa piena di contante: benzinai, rivendite di liquori, agenzie ippiche. Facciamo una rivendita di liquori di sera tardi... preferibilmente di venerdì."

"Mi vuole insegnare il mio mestiere?" protestò Crilly.

Skeffington lo ignorò e proseguì:

"Ad affare concluso, fatemi avere i soldi il più in fretta possibile".

Cal si appoggiò allo schienale della sedia e rimase ad ascoltarli mentre sceglievano il posto migliore. Si accese una sigaretta e buttò il fiammifero nel camino, vuoto a parte qualche carta di caramella. Fuori cominciava a fare buio. Gli venne in mente la chitarra malinconica di 'The Dark Side of the Moon' e la suonò nella sua testa, muovendo le dita. Crilly si alzò a tirare le tende.

"Sei silenzioso, Cal. C'è qualcosa che non va?" chiese Skeffington.

Cal tirò una lunga boccata dalla sigaretta, quindi disse:

"Non ci sto più". Cadde il silenzio, poi Crilly scoppiò a ridere.

"Ma se non ci sei ancora stato, stronzo!"

"Non possiamo fare a meno di certi termini, per favore?" Skeffington arricciò il naso in un'espressione disgustata.

"Ci sono stato abbastanza da non volerci stare più," ribatté Cal. Skeffington ci rifletté un momento, e quando parlò il suo tono era gentile ma carico di un'energia quasi elettrica:

"Hai paura?"

"Non proprio."

"Non ho mai conosciuto nessuno che non ne avesse."

"È più tensione che paura."

"Cristo, e chi non è teso?" saltò su Crilly. Tirò i piedi nudi sulla sedia e ci si accovacciò sopra.

"Qual è il problema, Cahal?" chiese Skeffington.

"Questa storia non mi piace. Quella donna, Marcella Morton, ha cominciato a lavorare alla biblioteca. La vedo tutti i giorni."

"Purtroppo ci sono situazioni in cui si finisce per far del male alla gente." Skeffington si sporse in avanti. "Ma rispetto a una guerra convenzionale le vittime sono poche. Lo so che sembra una considerazione da insensibili, ma è vero. Il numero dei morti a Cipro non ha toccato neanche le tre cifre: è un piccolo prezzo per la libertà!"

"Non ho lo stomaco per starci," rispose Cal. La sua voce era stanca.

"E credi che noi ce l'abbiamo?" Skeffington lo fissava. "Chiunque si diverta a fare certe cose è malato. Ma nonostante tutto sono cose necessarie e qualcuno deve farle. E siccome noi ci siamo impegnati nella causa, Cahal, è nostra responsabilità. Tocca a *noi* sacrificarci. Non puoi cavartela girandoti dall'altra parte perché non hai lo stomaco per starci."

"Ma uccidere un uomo sulla porta di casa..."

"Era un poliziotto, un nemico. Siamo in guerra, Cahal."

"Ha avuto quello che si meritava," disse Crilly. "Lui avrebbe fatto lo stesso a te e si sarebbe preso anche una medaglia."

Cal fece ruotare la punta della sigaretta contro il portacenere fino a scoprire la brace e la usò per accendersene un'altra. Alzò gli occhi a guardare il soffitto. Skeffington riattaccò:

"Gli altri seguiranno la strada che noi apriamo: i Gerry Fitt, gli Hume. È come un sindacato, ci sono quelli che fanno tutto il lavoro e gli altri si prendono l'aumento senza neanche dire grazie. Devi farti forza, Cahal. Pensa alle idee, non alle persone. Pensa a un'Irlanda libera dagli inglesi. Ci arriveremo mai grazie ai politici?"

"No."

"L'hai detto, maledizione!" esclamò Crilly.

Sentirono bussare alla porta e Mrs Crilly entrò esitante, portando un vassoio con il tè. Crilly balzò in piedi.

"Ti avevo detto che non c'era bisogno, ma'."

Skeffington si alzò a sua volta, tutto impettito, e disse:

"Che pensiero gentile, Mrs Crilly".

"Mi dispiace ma ho solo biscotti secchi," si scusò la donna. Il vassoio era di metallo e le tazze tintinnavano rumorosamente. Mrs Crilly si guardò in giro in cerca di aiuto e Skeffington spinse al centro della stanza un tavolino dalle gambe sottili. Sotto il piano di vetro si godeva la vista di un lago azzurro circondato da pini e montagne innevate.

"Grazie," disse lei appoggiando il vassoio sul tavolino. Fece per sollevare la teiera.

"Facciamo da soli," la prevenne Crilly.

"Sicuro?" Mrs Crilly sorrise concentrandosi sugli ospiti e ignorando il figlio. Si allontanò dal tavolino; il maglione rosa le metteva in evidenza i seni piccoli, che le pendevano fin quasi alla vita. Cal la ringraziò.

"Non è una serata orribile?" osservò lei. "Soprattutto per chi è in vacanza."

Quando se ne fu andata, Skeffington si inginocchiò sul pavimento e si mise a versare il tè.

"Zucchero?" chiese.

Bevevano in silenzio, a piccoli sorsi. Skeffington morse un biscotto con gli incisivi sporgenti, inghiottì e disse:

"Tirandoti indietro, Cahal, ci complichi le cose".

"Se è per procurarsi fondi, va bene," rispose Cal. "Ma solo per questa volta, poi dovrete cercarvi qualcun altro."

"Bravo il nostro Cal!" disse Crilly.

Venerdì sera alle cinque e mezzo Cal aspettava per strada, sul marciapiede dell'ufficio postale, in modo che lei fosse obbligata a passargli davanti per andare al parcheggio. Si era messo davanti alla vetrina di una pasticceria e di tanto in tanto guardava verso destra, finché si accorse che senza bisogno di girarsi poteva tenere d'occhio la porta della biblioteca riflessa nel vetro.

Lei uscì portando sulle braccia uno scatolone pieno di spesa. Le alette marroni le nascondevano quasi del tutto il volto mentre avanzava di buon passo lungo il marciapiede, con il corpo leggermente sbilanciato all'indietro per equilibrare il peso. Cal la lasciò passare, poi prese a seguirla. Tergiversò alle sue spalle mentre lei si fermava all'angolo a guardare goffamente a destra e a sinistra prima di attraversare. Nel voltarsi a controllare che non venissero macchine, scivolò fuori dalla scatola la confezione di plastica del sale, che cadde sul marciapiede. Le sfuggì un verso esasperato, ma Cal con mossa rapida si chinò e le raccolse il barattolo.

"Oh, grazie!" disse lei girandosi a guardare chi fosse. Appoggiò lo scatolone sul marciapiede e gli si accovacciò accanto. "È troppo pieno." Risistemò un paio di cose e infilò il sale tra un pacco di farina e la parete della scatola. Quando si era chinata Cal aveva notato che non portava calze: le gambe erano abbronzate e lucide, e ai piedi aveva un paio di zoccoli del Dr Scholl.

"Spero che non sia superstiziosa," osservò.

"Non si è rovesciato." Lei gli sorrise.

"Lasci che l'aiuti."

"No, si figuri." Cercò di infilare le mani sotto lo scatolone.

"La prego..."

Cal si chinò e sollevò agilmente il pacco, afferrandolo per le aperture laterali. Poi, per portarlo meglio, se lo mise come lei sulle braccia, appoggiando le mani aperte sul davanti.

"Dove andiamo?"

"Grazie mille." Sembrava confusa. "Al parcheggio."

Si incamminarono, uno a fianco all'altra; lei con le mani oziose sulla tracolla della borsetta.

"Suona la chitarra?" chiese.

"Ogni tanto."

"Le unghie lunghe..." fece un cenno con il capo per indicarle.

"Da una parte c'è chi dice che sono lunghe," rispose Cal, "dall'altra però non lo sono."

Lei rise e lo guardò per accertarsi che il gioco di parole fosse voluto. Cal sorrise davanti alla sua insicurezza, riluttante a prenderlo in giro nel caso si fosse trattato invece di un malinteso.

"È buona. Mi è piaciuta," disse lei.

Ora che non era dietro al banco della biblioteca sembrava più bassa.

"È molto gentile da parte sua," riprese.

"Si figuri."

Ci fu un silenzio impacciato. Nonostante portasse lo scatolone, Cal le cedette il passo davanti al cancello del parcheggio.

"Lavora alla biblioteca?" domandò.

"Sì."

"L'ho vista oggi."

"Ma certo. In biblioteca..." rispose lei tirando fuori dalla borsetta le chiavi della macchina. Aprì il bagagliaio e quando Cal vi depositò lo scatolone l'auto si abbassò un po' sull'assale.

"Più lo si porta, più diventa pesante," disse sbuffando.

Lei sbatté il portello del bagagliaio per chiuderlo. Sorrise di nuovo, senza sapere cosa dire. Cal le restituì il sorriso e la aiutò facendo un passo indietro.

"Ci si vede," si accomiatò.
"Grazie ancora."
Questa volta, quando la macchina gli passò di fianco, lei lo salutò con la mano e Cal rispose con un gesto il più casuale possibile.
"L'ho vista oggi. *Merde*!" esclamò e sputò per terra.

Quella sera, quando riuscì ad aprire la porta dopo aver scostato la pesante tenda che la copriva all'interno come un sudario, Cal trovò un biglietto piegato sotto la lingua metallica della buca della posta. Accese la luce nel corridoio.

ANDATEVENE FECCIA FENIANA O VI BRUCIAMO CON TUTTA LA CASA.
QUESTO È IL SECONDO AVVERTIMENTO: NON CE NE SARANNO ALTRI.

UVF

Cal spense la luce e al buio, in punta di piedi, entrò in soggiorno. Guardò fuori tra le stecche della veneziana: la strada era deserta, c'era solo la pioggia che cadeva obliqua nell'alone giallo proiettato dal lampione vicino alla porta. Sul retro regnava l'oscurità, a parte qualche minuscolo punto luminoso ai piedi dello Slieve Gallon. Il più silenziosamente possibile Cal aprì la finestra e si mise in ascolto. Un chiurlo emise il suo richiamo in lontananza, poi lo ripeté, molto più vicino. Dal piano di sopra veniva il lento e monotono russare di suo padre. Cal si aspettava che da un momento all'altro la finestra andasse in frantumi, coprendolo di una pioggia di vetri e di fuoco, ma sapeva che non sarebbe successo. Avrebbero aspettato una notte in cui erano tutti e due addormentati. Il panico di dover saltare dalla finestra. Vide la sagoma goffa di suo padre cadere sulla tettoia di lamiera della baracca degli attrezzi. Sarebbero stati lì fuori ad aspettare di fare il tiro a segno con i feniani che avevano appena affumicato? E quel tono drammatico: 'NON CE NE SARANNO ALTRI'.
Andò in bagno, tenendo accesa solo la luce del pianerottolo con gli scuri chiusi. L'idea che persone di cui non conosceva neanche la faccia lo odiassero gli faceva venire la pelle d'oca. Essere odiati non per se stessi ma per quello che si rappresenta. Entrò nella camera del padre e lo scosse piano.

"Shamie," sussurrò. "Shamie."

Suo padre si svegliò con un verso di fastidio.

"Cosa c'è?"

Accese la luce sul comodino e si grattò la testa. "Cosa succede?"

"Ecco cosa succede." Cal gli tese il biglietto. Suo padre lo inclinò in modo che la luce lo illuminasse e lo lesse tenendoselo a pochi centimetri dagli occhi socchiusi.

"Bastardi!"

Scese dal letto e si chinò in terra in un angolo della stanza. Dormiva con solo i calzoni del pigiama e mentre sollevava il tappeto Cal vide le pieghe sulla massa bianca della sua schiena. Alzò un'asse del pavimento prendendola per i chiodi che non erano perfettamente a livello del legno e portò sul letto un sacco di plastica nero. Lo rovesciò e sul piumino comparvero una pistola e dei proiettili. Era una vecchia calibro 38. Shamie la caricò, lasciando la prima camera vuota. Il leggero rumore metallico dei proiettili che suo padre cercava tra le pieghe del piumino dava a Cal la sensazione di avere la sabbia sotto i denti.

"Devo riempire la vasca?" chiese.

"Sì, riempila. Ma non metterci dentro la coperta, se no poi ci mette una vita ad asciugare."

Cal riempì a metà la vasca, prese una vecchia coperta beigiolina da sopra lo scaldabagno e gliel'appoggiò sul bordo, piegata come un asciugamano. Quando tornò nella stanza, Shamie stava nascondendo la pistola sotto il cuscino prima di rimettersi a letto.

"Tutto bene?" disse Cal.

"Le porte sono tutte chiuse?" Cal annuì. "Allora buonanotte."

"Buonanotte."

"È terribile!" osservò Shamie. "Quei bastardi riescono a farci parlare sottovoce in casa nostra."

Cal pensò di andare a dormire senza togliersi le scarpe, poi decise di appoggiarle sul pavimento una accanto all'altra, la sinistra a sinistra, la destra a destra. Allungò la mano a controllare che il bastone fosse ancora sotto il letto e infine si spogliò al buio, ma – nonostante in genere dormisse in mutande – non si tolse i blue jeans. Si accese una sigaretta e si sdraiò. Strano come la stanza ardesse di un chiarore rossastro ogni volta che lui tirava. C'era un silenzio tale che riusciva a sentire il sibilo leggero del tabacco che bruciava.

Pensò alla donna della biblioteca. Avrebbe voluto abbracciarla, in quel preciso istante, stare sdraiato accanto a lei e non far altro che assorbire il silenzio. Seguendola aveva notato la snella grazia delle sue gambe, il modo in cui si allargavano al polpaccio mentre si chinava accanto allo scatolone della spesa. Lisce e abbronzate, come se fosse stata sul Continente. Marcella era un nome continentale. Rabbrividì.

Schiacciò il mozzicone con più forza del necessario e si voltò su un fianco per addormentarsi, ma la notte era troppo tranquilla. Ogni tanto alzava la testa dal cuscino e restava in ascolto. Un cane abbaiò in lontananza. Poi un altro e un altro ancora, ciascuno dalla sua fattoria, finché di colpo tacquero e ritornò il silenzio. Cal era tanto teso ad ascoltare che nelle sue orecchie si era formato una specie di brusio elettrostatico, come quando si cerca di sentire il mare in una conchiglia. Si immaginava da un momento all'altro un sussurrare di voci, lo scricchiolio di suole di gomma sul vialetto di cemento. Una volta alla radio avevano detto che l'universo era nato da un'esplosione di dimensioni inconcepibili e che l'energia elettrostatica era l'eco lontana di quell'esplosione, a miliardi di anni di distanza. Si sdraiò supino e si mise ad ascoltare l'eco, aspettando che la finestra andasse in pezzi.

La prima minaccia era stata recapitata nello stesso modo e scritta a pennarello con la stessa calligrafia rozza. Suo padre, furioso e preoccupato, aveva riferito tutto ad alcuni dei suoi compagni al macello, Crilly compreso. Quella sera stessa Crilly era arrivato a casa loro con un amico. Cal era fuori, ma più tardi suo padre gli aveva raccontato come era andata. Gli avevano offerto una calibro 38 per difesa personale e lui l'aveva accettata. Era contento di avere in casa un mezzo con cui spaventare la teppaglia che prima o poi, ne era certo, si sarebbe presentata di notte alla loro porta. Qualcosa con cui stendere secco sulla soglia chi era venuto a stendere secco lui. Era grato a Crilly e al suo amico per la loro tempestività. Cal sapeva che nella testa del vecchio quella storia somigliava un po' a uno dei film western che gli piaceva tanto guardare in televisione: la giustizia era dalla sua parte e sarebbero stati i cattivi a morire. L'idea lo faceva sentire al sicuro e lui non voleva togliergli quell'illusione.

D'altra parte sapeva che se ti hanno segnato tutto finisce con uno scoppio e un lampo accecante senza nemmeno darti il tempo di togliere le mani di tasca, così mentre credi di essere ancora in piedi sei già per terra in una pozza di sangue. E sapeva anche che se gli inglesi avessero perquisito la casa, sarebbero andati dritti nell'angolo della camera da letto, avrebbero tirato indietro il tappeto e sollevato l'asse del pavimento. Ma dato che abitavano in un quartiere di lealisti almeno quel pericolo non lo correvano.

Alcune settimane dopo aver portato la pistola Crilly era ricomparso e aveva chiesto se potevano fargli un favore. Loro avevano risposto di sì, naturalmente, e prima che si rendessero conto di cosa stava succedendo si erano trovati con tre pesanti scatoloni nascosti in soffitta. Cal ci aveva guardato dentro, ma il contenuto era avvolto in tela di sacco e plastica nera e lui non se l'era sentita di indagare oltre. Per tutte le notti in cui le scatole erano rimaste in casa, aveva avuto la sensazione che il soffitto della sua stanza gli bruciasse sopra la testa. Quella dei Mc Crystal era diventata così una 'casa sicura'; di tanto in tanto si vedevano arrivare dei pacchi che venivano prelevati di nuovo un paio di giorni dopo.

Una sera Crilly era passato a chiedere a Cal di accompagnarlo da qualche parte con il furgone. Avevano trasportato della roba da una casa a un'altra e Cal aveva dato una mano a caricare e scaricare i pesanti sacchi. Era preoccupato, ma non aveva detto nulla. Crilly non smetteva di guardarsi intorno, come se avesse la testa montata sull'asta di una porta girevole. Cal divenne il suo autista abituale e un paio di volte se la videro brutta.

Una sera, dopo che avevano recapitato il carico, l'esercito li aveva fermati. Avevano dovuto scendere e dare generalità e indirizzo, dopodiché i soldati, puntando la torcia in faccia, avevano fatto alzar loro le mani per perquisirli. Quando avevano accostato si erano sentiti gridare di spegnere i fari, ma al riflesso della luce della torcia Cal aveva visto accucciato nel fosso un uomo con la faccia sporca di nero che lo teneva sotto tiro con il fucile. Ci avevano messo una decina di minuti a controllare il furgone: motore, imbottitura delle portiere, sedili. Quando li avevano lasciati ripartire, Crilly stava per mettersi a piangere.

"Cristo, perché dobbiamo sopportare?" Aveva la mascella contratta e i pugni stretti. "Devo lasciarmi mettere le mani addosso dalla fottuta feccia di Londra e di Glasgow. Hai visto come ti guardano? Come se stessero toccando la merda." Aveva picchiato un pugno contro il cruscotto e il vano portaoggetti si era aperto davanti a lui, illuminandosi all'interno.

"Bastardi" aveva gridato Crilly. "Ma verrà il giorno, Cal, verrà il giorno."
"Grazie a Dio non ci hanno fermato mezz'ora fa."

Cal sentì suo padre che si rigirava nel letto e il rumore di un fiammifero che si accendeva. Si alzò, prese le sigarette ed entrò nella camera che dava sul davanti della casa.
"Vuoi una tazza di tè?"
"Che ore sono?" chiese suo padre. Mise dritta la sveglia e la esaminò: erano le tre e venti. "Perché no?"
Cal scese in cucina e tirò le tende prima di accendere la luce. Mentre aspettava che l'acqua bollisse rabbrividì e la sottile peluria che gli ricopriva le braccia incrociate si sollevò. L'estate era finita.
Tornato di sopra, trovò Shamie seduto sul letto. Si era messo un vecchio pullover verde bottiglia, con i gomiti bucati e il collo che cominciava a sfilacciarsi. Nell'infilarselo si era tutto spettinato.
"Grazie Cal," disse, prendendo la tazza. Lo disse sommessamente e suo figlio, chissà perché, si commosse. La lampada sul comodino proiettava la sua luce verso il pavimento e accentuava le ombre sul volto di Shamie, facendolo sembrare più vecchio di quello che era. Stare svegli di notte li aveva resi entrambi più sensibili. Shamie lo guardò e aggiunse:
"Mettiti la mia giacca, altrimenti congeli".
Cal si infilò la giacca con un brivido; non era abitutato alla sensazione della fredda fodera di seta sulla pelle. Strinse tra le mani la tazza, cercandovi un po' di calore, e si sedette sul bordo del letto.
"Sei silenzioso in questi giorni, Cal. C'è qualcosa che non va?"
"No."
"Te ne stai sempre chiuso in quella stanza. Non parliamo più."
"Se avessi un lavoro forse sarebbe diverso."
"Non avresti dovuto licenziarti dal macello."
"L'odore mi faceva venire il vomito."
"Ti ci saresti abituato."

Cal non rispose. Era un discorso che avevano già fatto parecchie volte, ma non ne avevano mai parlato tranquillamente.

"Ti rendi conto della figura che mi hai fatto fare?" continuò Shamie. "Ho mosso mari e monti perché ti assumessero... Dio sa se ci sono pochi cattolici lì dentro! E dopo neanche una settimana tu mandi tutto all'aria. Avresti dovuto vedere con che faccia mi ha guardato Mr Loudan."

"Anche Crilly è cattolico."

"Ma Crilly non è mio figlio. Però una cosa a suo favore la devo dire: fa il tuo lavoro maledettamente meglio di te."

Cal rivide la massa rossa, verde e grigia delle interiora fumanti cadere dalla carcassa sollevata e abbandonarsi ai suoi piedi. Vide lo scatto nervoso che le muoveva, ne risentì l'odore.

"Glielo cedo volentieri." Finì di bere il tè e depose la tazza sul pavimento. Offrì al padre una sigaretta e, sebbene avessero concordato di fumare ognuno le proprie, Shamie l'accettò. Mise la tazza sul comodino e appoggiò la schiena ai cuscini.

"Credi che dovremmo traslocare?" chiese. "Non sopporto di darla vinta a quei bastardi."

"Non lo so," rispose Cal. "Pensavo all'Inghilterra; forse potrei trovare qualcosa da fare lì."

"L'Inghilterra è marcia fino al midollo."

Cal sorrise.

"Una volta ci sono dovuto andare. Qui non c'era lavoro e il sussidio di disoccupazione era poca cosa. Non sono mai stato più infelice in vita mia. Maledetta Wolverhampton! Con i tubi che mi correvano sopra la testa, in una camera ammobiliata che non era più grande di un ripostiglio... Lontano da tua madre... No grazie. Se i soldi del sussidio ti bastano per vivere, resta qui."

"Vedremo," concluse Cal e si alzò per tornare in camera sua.

"Quanti anni avevi quando è morta tua madre?"

"Otto... mi pare."

Shamie si tolse il pullover e lo buttò sul pavimento, poi si sistemò sulla metà esterna del letto matrimoniale.

"E questa volta speriamo di dormire."

"Buonanotte," disse Cal.

Ma prendere sonno era impossibile. Quando dormiva fino a tardi al mattino, la notte era ancor peggio. Era un circolo chiuso che non c'era verso di rompere: spossato dall'insonnia, non riusciva a svegliarsi. Stava sdraiato con le mani incrociate dietro la testa. Sua madre si chiamava Gracie. Ricordava il giorno in cui il bidello era entrato in classe e la sorpresa che aveva provato quando la maestra - Mrs Mc Lean - lo aveva guardato e aveva detto che lo aspettavano in direzione. Zia Molly, che lui appena conosceva, era seduta in lacrime su una sedia di legno fuori dalla porta della presidenza. Gli aveva raccontato che sua madre era caduta a terra in cucina con un'emorragia cerebrale; l'avevano caricata sull'ambulanza senza neanche toglierle il grembiule.

Per mesi, ogni volta che pensava a lei ed era solo, Cal aveva pianto. Persino ora il ricordo di sua madre riusciva a fargli venire un nodo alla gola. La rivedeva fare boccacce dietro il cucchiaio e ridere; rivedeva il giorno in cui aveva perso la vera e, come ultima spiaggia prima che suo padre tornasse a casa dal lavoro, aveva ridotto in briciole la pagnotta che aveva appena cotto, dando in un urlo di gioia quando le dita avevano incontrato il duro cerchietto d'oro. Ce l'aveva davanti come se fosse stata ancora viva, seduta al tavolo accanto alla finestra con due pettinini azzurri da poco che le tenevano indietro i capelli; aveva appena ricevuto il telegramma che la informava della morte di Brendam, il fratello maggiore di Cal, in un incidente d'auto a Baltimora e piangeva in perfetto silenzio, sapendo che non avrebbe potuto partecipare al suo funerale.

Andava a messa e faceva la comunione tutte le mattine, e tutte le sere prima di sparecchiare la tavola voleva che la famiglia recitasse il rosario. Aveva un libro di preghiere ricolmo di immaginette, novene e invocazioni particolari che finivano inevitabimente sparse sul pavimento della chiesa ogni volta che qualcuno lo prendeva in prestito. I sottili nastrini colorati che servivano da segnalibro erano così consumati che non spuntavano nemmeno più dal fondo delle pagine.

Cal si chiedeva se l'amava tanto solo perché era morta prima che lui raggiungesse l'adolescenza. Non ricordava di averci mai litigato, né di essere mai stato picchiato da lei. Da quando aveva compiuto quattordici anni invece, con suo padre era stata guerra continua. Tutto era occasione di liti e urla, dal modo in cui masticava al numero di sigarette che fumava. Eppure c'erano argomenti su cui Shamie restava senza parole. Non molto tempo dopo la morte di Gracie aveva notato un segno violaceo sulla piega del gomito di Cal: di notte si succhiava la pelle fino a sentire il sapore di rame del sangue che saliva in superficie. Suo padre gli aveva chiesto cosa gli era successo; senza sapere perché, Cal aveva risposto che si era fatto male a scuola... prendendosi a botte con un altro ragazzo. A volte avrebbe tanto voluto che sua madre fosse stata ancora viva, si era limitato a dirgli Shamie. Lei avrebbe saputo come spiegargli certe cose. A sentir nominare sua madre, Cal era scoppiato a piangere e Shamie era uscito dalla stanza.

Suo padre non parlava mai di ragazze e ogni volta che in televisione si vedeva una scena d'amore, lui se ne andava o si immergeva nella lettura del giornale che teneva sempre sulle ginocchia. Se il programma non si faceva troppo esplicito e non arrivava al nudo non spegneva, ma borbottava qualcosa a proposito dell'Inghilterra "marcia fino al midollo".

Con infinita lentezza la finestra divenne visibile dietro la tenda azzurra. Un uccello proruppe in un breve cinguettio e altri lo seguirono. Dopo il silenzio della notte, adesso era il canto degli uccelli a tenerlo sveglio. Alla luce del giorno non sarebbe successo niente, non avrebbero avuto il coraggio di farsi vedere. Ora poteva riposare. E infine, con il cuscino intorno alla testa per coprirsi entrambe le orecchie, si addormentò. Ma solo per sprofondare in un sogno ricorrente che aveva per protagonista una ragazza. A volte Cal vedeva la casa di lei da un autobus, altre da una macchina. Una volta aveva in mano una pistola. Lei era nuda e bella, e sempre davanti alla finestra al piano di sopra. Immancabilmente era in uno stato di grande agitazione che Cal sapeva essere di natura sessuale, e passava da una finestra all'altra, accarezzandosi il seno e il ventre, sfiorando come in una danza le tende a rete gonfie di vento. Cal sapeva che la ragazza aveva bisogno del suo aiuto, ma al vederlo saltare dal cancello al davanzale e dentro la stanza, sul volto splendido le si dipingeva un'espressione di assoluto terrore. E d'improvviso si gettava dalla finestra. L'aria si riempiva delle sue grida e del rumore di vetri in frantumi. Cal guardava giù: come sempre lei era lì, trafitta dall'inferriata, e urlava senza sosta.

2

Domenica mattina Cal si svegliò sapendo di essere in ritardo. Afferrò l'orologio: faceva le dieci e dieci. Balzò giù dal letto e, mentre si vestiva, sentì suo padre rientrare.

"Perché non mi hai chiamato?" gli gridò, infilandosi la camicia nei calzoni e correndo nello stesso tempo giù per le scale. Suo padre portava il vestito buono e aveva ancora in mano il messale. Piegato sotto il braccio teneva il polposo fascio dei giornali della domenica.

"Ti ho chiamato. Sono entrato nella tua stanza, ti ho detto che ora era e tu mi hai anche risposto. Pensavo che avessi cambiato idea per la partita."

"Sei stato alla messa delle nove?"

"Sì."

"Se mi presti il furgone vado a Magherafelt per quella delle dieci e mezzo."

"Non ce la fai."

Cal si versò una scodella di corn flakes e li ingollò senza neanche sedersi, un cucchiaio dopo l'altro, con il gomito alto per fare più in fretta. Bevve l'ultimo sorso di latte dolce rimasto nella scodella poi, con la prima sigaretta del giorno in bocca, spinse il furgone al massimo sulle strade deserte della domenica, schiacciando l'acceleratore a tavoletta. Arrivò in chiesa mentre cominciavano le letture. Normalmente, nella sua parrocchia, sarebbe rimasto in fondo, ma mentre entrava tutto trafelato un usciere incrociò il suo sguardo dalla navata centrale e con un'aria da vigile gli fece cenno di andare avanti. Imbarazzato, con i capelli ondeggianti,

Cal si avvicinò all'altare e si fece piccolo per infilarsi nel posto che l'usciere gli aveva trovato. Con leggeri movimenti delle spalle cercò di allargare un po' lo spazio tra le schiene dei vicini. Iniziò la seconda lettura, ma Cal non riusciva a seguirla. Il suo sguardo vagava per la chiesa piena di luce; era una costruzione abbastanza recente e non gli piaceva. Sul muro era dipinto in stile moderno un Cristo in croce, pensato per intonarsi alla combinazione di colori chiari dell'edificio. Cal preferiva le scure chiese di pietra, chiese che odoravano di secoli e avevano le finestre con i vetri piombati.

Qualche fila davanti a lui una bambina si inginocchiò sulla panca a guardare indietro. Era una bella bambina, con grandi occhi color nocciola. Cal le fece l'occhiolino: lei si rannicchiò timidamente addosso alla madre per poi riemergere pian piano. Di nuovo Cal le strizzò l'occhio, e questa volta la bambina si nascose sorridendo. Sua madre, che portava un velo di pizzo nero, senza girarsi la fece voltare verso l'altare.

Il prete salì sul pulpito e l'assemblea si alzò per il vangelo. Al termine della lettura Cal badò bene a essere il primo a sedersi in modo che gli altri dovessero sistemarsi attorno a lui nella lotta per un po' di spazio. Si mise comodo per la predica: era un momento che gli piaceva, un momento in cui lasciarsi andare e sentire senza ascoltare. Il rumore delle parole gli impediva di sprofondare nei suoi cupi pensieri, ma nello stesso tempo le parole di per sé non lo interessavano abbastanza da costringerlo a soffermarsi sul significato che esprimevano. Era una specie di caldo limbo. Non conosceva il prete, che parlava semplicemente e con voce che esigeva attenzione. Cal cercò di chiuderla fuori, ma la voce insisteva; voleva scivolare via, e invece si sentiva costantemente trattenuto. Il prete parlava di Matt Talbot che, dopo aver passato dieci anni a ubriacarsi a Dublino, si era rivolto a Cristo e aveva dedicato il resto della sua vita a espiare quegli anni.

"Quando lo trovarono morto nella sua umile stanza, gli amici che lo prepararono per la sepoltura scoprirono che aveva i fianchi avvolti nelle catene. Le aveva portate tanto a lungo e così strette intorno alla vita che fu quasi impossibile staccarle dalle sue carni martoriate. Come un albero vivo ingloba un chiodo o un filo spinato, facendoli diventare parte di sé, così il corpo di Matt Talbot aveva inglobato le catene ed era diventato tutt'uno con loro. Chi di noi, vi chiedo, sarebbe disposto a soffrire tanto per amore di Gesù? Chi di noi sarebbe disposto a sopportare tanto dolore per espiare una colpa? E la cosa più straordinaria è che Matt Talbot era un lavoratore, come voi e come me. Ciò che lo distingueva dal resto di noi erano la sua volontà ferrea e la sua enorme fede nell'amore di Gesù Cristo."

Finita la predica, Cal si inginocchiò come tutti gli altri. Trovava difficile pregare. L'unica preghiera che poteva recitare con sincerità era per l'anima di sua madre, ma era convinto che sua madre fosse in paradiso e non avesse bisogno dei suoi sforzi. E poi quelle preghiere sfumavano sempre nei ricordi: immagini, scene che avevano vissuto insieme. Sua madre aveva una bella voce e conosceva a memoria un numero infinito di canzoni, canzoni di rivolta che cantava con fervore, facendolo saltare sulle ginocchia:

Roddy Mc Corley va a morire
oggi sul ponte di Toome.

E quando Cal fu più grande, di sera invece di raccontargli una favola gli cantava 'Il ribelle' o 'Padre Murphy' con la sua lenta e triste melodia:

Una mano ribelle ha dato l'erica alle fiamme.

Il resto delle sue preghiere consisteva nel ripetersi che verme fosse. Se faceva tanto schifo a se stesso, cosa mai poteva pensare di lui Dio?

"*Merde.* Merda. *Crotte de vache.*"

Al momento della comunione la donna con il velo di pizzo si alzò. Provò a lasciare la bambina seduta al suo posto mentre lei andava alla balaustra, ma la piccola si rifiutò di star sola e presa da un piccolo attacco di paura seguì la madre saltellando nervosamente. Cal, ancora in ginocchio, si passò le dita tra i capelli e fissò i nodi marroni nel legno della panca davanti. Uno sembrava una cometa che si tirava dietro una coda rosso sangue; un altro aveva addensamenti più scuri, come occhi fissati su di lui.

Quando alzò gli occhi, vide che la donna con il velo di pizzo era Marcella. Tornava indietro lungo la navata, con le mani giunte e il capo leggermente chino, seguita dalla figlia che un po' camminava e un po' salterellava. Dovette guardarla di nuovo per essere sicuro che fosse davvero lei, perché il velo nascondeva i capelli neri severamente pettinati all'indietro. Lei tornò al suo posto, fece sistemare accanto a sé la bambina e si piegò su se stessa in preghiera con il volto tra le mani. Non aveva pensato che potesse essere cattolica. Era sposata con un certo Robert Morton e da secoli i Morton erano agricoltori protestanti. Fissò intensamente le maglie rade del vestito sulla sua schiena curva fino a farsi bruciare gli occhi. Come se fosse raccolto in preghiera, si premette le nocche dei pollici contro le palpebre finché i colori cominciarono a guizzare in ogni direzione e arrivò il dolore. Le immagini si fusero alle fitte, ma Cal non allentò la pressione. Rimase così sino alla conclusione della messa, consapevole del fatto che il cuore gli batteva tanto forte che avrebbe potuto sentirlo anche chi gli sedeva accanto.

Nonostante tutto non poté fare a meno di osservarla mentre usciva dalla panca, guidando davanti a sé la sua bambina tra la confusione della folla. Il suo sguardo si posò brevemente su Cal senza notarlo. Non appena la vide oltrepassare la sua fila Cal si alzò, e quando qualcuno si fece da parte per lasciarlo immettere nella navata, si ritrovò, spaventato e dolorante, alle sue spalle. La chiesa gremita si svuotava lentamente, mano a mano che la congregazione procedeva verso l'uscita e oltre le doppie porte. Cal teneva le mani lungo i fianchi e avanzava a piccoli passi strascicati, sospinto dalla calca. Il dorso della sua mano sfiorò la lana del vestito di lei. Attraverso il pizzo nero del velo vide i capelli raccolti in una crocchia e trattenuti da un grande fermaglio di legno; scorse tra il velo e il vestito la curva del collo, i minuscoli punti dei pori della sua pelle e la sottile riga di peluria che le scendeva sulla schiena. Sentì un profumo, ma non poté essere certo che fosse il suo. La pressione alle sue spalle crebbe, spingendolo contro di lei, finché il dorso della sua mano si appoggiò all'anca solida. Cal ce lo lasciò il più a lungo possibile, poi lo ritrasse perché lei non si insospettisse. La sensazione di quel contatto gli riecheggiava nella mano. Marcella si chinò a dire qualcosa alla bambina e Cal sentì il corpo di lei sfiorare il suo. Oh Gesù! Erano ormai arrivati vicino al portico e, sfuggendo dai confini della navata, la folla si sparpagliava verso le porte. Marcella andò a destra, Cal a sinistra. La compattezza del suo corpo gli bruciava ancora sul dorso della mano. Mentre passava accanto all'acquasantiera tirò fuori le sigarette.

Fermo a fumare la guardò farsi strada tra le macchine, tenendosi con una mano il velo sulla testa.

"Ehi, ci sei alla partita?" Era John Quinn.

"Sì," rispose Cal.

"Cosa dici, saranno un osso duro?"

Marcella aprì la portiera e fece salire la bambina. Poi girò intorno alla macchina e aprì la portiera sull'altro lato.
"Chi?"
"Antrim. Che diavolo, con quante squadre si gioca?"
"Ce li mangeremo," disse Cal.
Lei si tolse il velo e scivolò al posto di guida. La testa di Cal si voltò a guardare l'Anglia gialla che passava accelerando. Abbassò gli occhi verso terra e confusi tra la ghiaia grigia del vialetto che costeggiava il muro vide migliaia di mozziconi.

Cal fece i novanta chilometri fino a Clones in furgone. Appena varcato il confine provò come sempre una sensazione di libertà. Quella era l'Irlanda, la vera Irlanda. Gli sembrava di essere sfuggito al peso e al buio dell'Ulster protestante con le sue cittadine linde, soffocate nel riposo festivo. In cima a un albero sventolava il tricolore verde bianco e oro.
Più si avvicinava a Clones, più il traffico si faceva intenso. Autobus di Derry, con le sciarpe rosse e bianche che pendevano dai finestrini; macchine di Antrim, piene di passeggeri seduti uno sulle ginocchia dell'altro. I loro colori, giallo e bianco, sembrarono a Cal bandiere papiste. Dovette parcheggiare lontano da Breffni Park e andare allo stadio a piedi.
Le squadre uscirono in campo, subito seguite dagli arbitri. Quelli erano sempre uguali, ovunque si giocasse la partita: tarchiati e quasi calvi, restavano in piedi di fianco alla porta con le mani infilate nelle tasche dei giacconi bianchi. Macellai, pescivendoli, assistenti di laboratorio. Tenevano le bandierine infilate nella rete laterale: rossa tre punti, bianca uno. Peccati mortali e veniali; rosso per sesso e omicidio, bianco per aver lavorato pur prendendo il sussidio di disoccupazione. Si immaginò il prete che si sporgeva dal confessionale con le bandierine.
Non si confessava da più di un anno e non si sarebbe mai più confessato. Scosse la testa e cercò di concentrarsi sul gioco. Si alzò in punta di piedi a gridare qualcosa all'arbitro e per un attimo si perse. Ma quello che aveva fatto era diventato ormai lo sfondo della sua vita, era sempre presente, come il brusio in cui riecheggiava l'origine all'universo.
Nell'intervallo tra i tempi si mise in coda per andare al gabinetto. La puzza di urina si sentiva già da lontano, ma all'interno l'odore era insopportabile. Cal fissava la parete nera e ammuffita

davanti a sé, trattenendo il respiro. Lo scarico strabordava, intasato dai mozziconi di sigaretta.

"Come va, Cahal?" disse una voce. Skeffington si fece largo fino ad arrivare al suo fianco. "È bello vincere." Cal non sapeva con certezza se si riferisse alla guerra o all'incontro. Notò che Skeffington si copriva con la mano, come un ragazzo che fuma a scuola, e fissava il soffitto. Cal si tirò su la cerniera e si voltò per andarsene, ma l'altro lo seguì.

"Adrian Mc Guckin sta giocando una splendida partita."

Cal annuì. Il terreno dopo la pioggia era un pantano scuro e grasso.

"C'è anche tuo padre?"

"No. Ha detto che aveva da fare in giardino."

"E Crilly c'è?"

"Non credo."

Skeffington sorrise e insieme si avviarono verso la folla. Il maestro camminava quasi in punta di piedi per evitare di infangarsi le scarpe lucide.

"Non sono molti gli aspetti della nostra cultura che interessano Mr Crilly. Però è un uomo utile."

Cal lo guardò.

"Andiamo, Cahal. Ci vuole anche qualcuno che pensi alla pratica. Se ti si rompe una tubatura vai a chiamare l'idraulico; se hai per le mani una guerra ti rivolgi a quelli come Crilly. I duri e i banditi sono i veri rivoluzionari, se capisci cosa intendo. Sono loro che fanno quello che c'è da fare, sono loro ad aprire il varco attraverso cui poi passeremo tutti."

"E allora di me cosa ve ne fate?"

"Un movimento come il nostro ha bisogno di tutti. Di quelli come Crilly, di quelli come te, e persino di quelli come me."

"Io comunque non voglio più averci niente a che fare."

Skeffington gli appoggiò una mano sul braccio.

"Questo crea un grave problema, Cahal. Sfuggirebbe al mio controllo e mi dispiacerebbe se ti succedesse qualcosa."

Un uomo bianco di capelli, con in mano una mezza bottiglia di whiskey, cominciò a scendere lentamente la scala. Sul suo volto c'era un sorriso ebete e quando fece per mettere il piede sull'ultimo gradino mancò l'appoggio, finendo lungo e disteso a terra sul fianco destro. L'uomo alzò su Cal e Skeffington uno sguardo disorientato, chiedendosi evidentemente come fosse finito dov'era, ma la bottiglia era ancora nella sua mano, dritta e intatta. Li salutò e borbottò qualcosa. Cal spinse da parte Skeffington e con qualche difficoltà tirò in piedi il vecchio. Una gamba dei calzoni e tutto il lato della giacca erano imbrattati di fango. Anche la mano era sporca di terra mista al rosso vivo del sangue. Cal gli indicò i bagni e il vecchio si allontanò barcollando.

"Ma dove lo prendono di domenica?" disse Skeffington. "Se penso a come sono fatti certi per cui lottiamo mi sembra di impazzire, Cahal."

"C'è bisogno di tutti," rispose Cal e sorrise.

"Vieni, ti presento mio padre."

Cal si scusò, ma doveva tornare dai suoi amici: sarebbe stato per un'altra volta. Skeffington lo salutò con la mano e salendo i gradini a due a due gli gridò qualcosa in irlandese.

La settimana successiva sembrò a Cal la più lunga della sua vita. Se ne restò sdraiato in camera a strimpellare la chitarra o ad ascoltare i dischi desiderandone di nuovi, e fumò incessantemente. Gli capitava spesso di pensare che il suo orologio fosse rimasto indietro o che si fosse fermato. Andò alla biblioteca tre volte; tutti i giorni sarebbe stata un'esagerazione. Lei si limitava a fargli un cenno con la testa, indirizzandogli un breve sorriso di ringraziamento per averle portato la spesa fino alla macchina: vederla mentre lavorava era inutile. Una sera rimase per strada a tener d'occhio la biblioteca, ma lei non uscì. Aspettò sino alle sei meno dieci e poi, quando ormai le patate stavano bruciando, tornò a casa di corsa.

La situazione era aggravata dall'attesa di un messaggio di Crilly. Tutte le sere quando Shamie tornava a casa Cal cenava con lui – o faceva finta di cenare – davanti al notiziario con il terrore di sentirsi annunciare: "Crilly vuole vederti". Ma suo padre non diceva niente, e ogni volta che non diceva niente Cal si sentiva come un condannato a cui è stata rinviata l'esecuzione. Una notte non riuscì a chiudere occhio, il che fu un bene perché la mattina si alzò presto e la sera dopo andò a letto alle undici e dormì sodo.

Venerdì sera a cena suo padre gli raccontò di aver parlato con Pascal O'Hare; sul suo terreno c'erano un paio di alberi morti che gli davano fastidio e Shamie li aveva comprati per un'inezia. In realtà togliendoglieli di mezzo gli faceva un favore. Se tagliavano insieme il grosso quella sera stessa, Cal aveva tutto il tempo di finire da solo il giorno dopo. Poi con un camion del macello preso in prestito fuori orario poteva andare in giro nei dintorni a vendere i ceppi e tirar su un po' di soldi.

"Ti va?"

Cal annuì.

"Allora lascia stare i piatti e andiamo."

Era una serata senza vento e faceva abbastanza caldo da togliersi la giacca mentre lavoravano. Il primo albero era un grande olmo, caduto anni prima sul limitare di un bosco. La sua base era rivolta verso l'alto, attaccata a un piatto di terra e radici, e il tronco giaceva di traverso su un fosso, allungandosi nel prato. Con l'accetta Cal cominciò a staccare i rami più piccoli, mentre Shamie metteva in moto la sega elettrica che aveva preso in prestito. Nel boschetto riecheggiò il gemito ringhioso della lama; ogni volta che il vecchio l'affondava in un ramo, la voce della sega si alzava in un urlo acuto e i trucioli bianchi cadevano sul prato come da una fontana. Per Cal il rumore era un sollievo, lo dispensava dal parlare.

Quando Shamie spense la sega per saltare sull'altra sponda del fosso, Cal rimase ad ascoltare il silenzio: un tordo che cantava nel bosco, il muggito distante del bestiame in un campo più in basso... quindi il motore impazzito della sega che cancellava tutto. Lavorarono finché fece buio, poi sulla strada di casa si fermarono al pub e Shamie ordinò due pinte di Guinness. Mentre bevevano si allontanarono, mischiandosi a compagnie diverse.

Il giorno dopo Cal prese il furgone e tornò alla proprietà di Pascal. Portò con sé una mazza e una manciata di cunei di ferro che suo padre teneva nella baracca; con gli anni, a furia di batterci sopra, la testa dei cunei si era tutta segnata e aveva preso la forma di un fungo. Cal li usò per aprire trasversalmente i ceppi, infilando un primo cuneo e poi un secondo più a fondo nella spaccatura che aveva aperto. L'eco del suono metallico della mazza sul ferro gli rimbalzava indietro dal bosco. I ceppi non si spaccavano facilmente, la fessura scricchiolava e schioccava per la tensione a cui era sottoposta anche dopo che Cal aveva smesso di picchiare. Il legno si apriva bianco in due, ma alcune fibre si aggrappavano ad entrambe le metà tenendole insieme, e Cal dovette separarle con l'accetta. Era un lavoro pesante, che lo obbligava a riposarsi sempre più di frequente e sempre più a lungo man mano che la mattina procedeva. I palmi gli erano diventati tutti rossi e alla base delle dita gli si era formato un arco di vesciche che poi erano scoppiate, lasciandogli la pelle morta piatta sulla mano. Ma la catasta di ceppi cresceva. Presto ce ne sarebbero stati abbastanza da caricare un camion. Cal si sedette a cavalcioni del tronco a fumare una sigaretta. Sapeva dove portare il primo carico, se ne avesse avuto il coraggio. Non potevano prendere in prestito il camion prima delle sei, ma proprio quello era il punto: voleva dire che l'avrebbe trovata in casa.

Saltò giù dal tronco, prese tra le mani doloranti la mazza e sferrò un colpo, una volta tanto spaccando di netto il ceppo. Con un forte accento americano intonò un canto negro, colpendo il cuneo alla fine di ogni verso.

Prendi questo martel – lo
Portalo al capita – no.

Ma prima di arrivare alla terza strofa dovette fermarsi di nuovo a riposare.

Sebbene il camion fosse stato accuratamente lavato con la canna, nella cabina c'era ancora la puzza del mattatoio. Cal abbassò i finestrini, sperando che l'aria portasse via l'odore. Shamie lo aveva aiutato a caricare la legna, ma poi Cal gli aveva detto che non c'era bisogno che passasse con lui di porta in porta e l'aveva lasciato giù a casa perché si riposasse.

Conosceva la strada, l'aveva ripercorsa molte volte nella sua testa, odiandone ogni curva. Il camion era difficile da guidare e il pedale della frizione duro da premere. Ogni volta che appoggiava il piede sinistro sul pavimento della cabina, il ginocchio gli tremava. Si ripeté tra sé e sé cosa avrebbe detto.

Il vialetto che portava alla fattoria era sterrato e pieno di solchi. Il camion procedeva lento, sobbalzando e dondolando da un lato all'altro. Mentre varcava il cancello Cal vide che sul pilastro di cemento c'era ancora un segno di vernice rossa. Si fermò davanti alla porta e lasciò il motore acceso.

Un attimo dopo aver suonato il campanello, scorse un movimento dietro il pesante disegno delle tende a rete. La porta si aprì e, al posto di Marcella, Cal si trovò davanti una donna alta, con i capelli grigi e gli occhiali.

"Sì?"

"Vuole della legna?"

"Quanto?"

Cal propose quello che riteneva un prezzo equo. La donna lo squadrò da capo a piedi da dietro la montatura a farfalla. La sua bocca aveva la linea sottile dell'efficienza.

"Fammela vedere."

Cal la precedette sul retro del camion e abbassò un po' la ribalta. La donna guardò la legna e poi lui.

"È ben secca?"

"Abbastanza. Finirà di seccare una volta accatastata."

"Sono pezzi molto grandi. Potrebbero non entrare nella stufa."

Cal si strinse nelle spalle. Fece correre lo sguardo alla porta, ma nessuno aveva seguito la donna all'esterno e le finestre avevano tutte le tende tirate.

"I ceppi più grossi si possono spaccare?"

"Sì, certo. Non è un lavoro difficile."

"Molto gentile da parte tua. Allora prendo tutto il carico."

Cal esitò.

"Non volevo dire che l'avrei fatto. Intendevo solo che è possibile..."

La vecchia sorrise e il suo viso severo si trasformò.

"Prendo lo stesso tutto il carico," disse.

"Dove la vuole?"

La donna indicò il lato della casa.

"Lì dovrebbe essere abbastanza asciutto."

Cal portò il camion a marcia indietro fino al punto che lei gli aveva indicato e rovesciò il carico che rotolò a terra con un rombo sordo. La donna uscì di casa con un libretto di assegni in mano.

"Potrei avere contanti, per favore?"

"Ah, è così... Non credo di avere in casa abbastanza al momento. Puoi tornare domani?"

Cal guardò il mucchio di ceppi e scrollò le spalle. La vecchia sorrise di nuovo.

"Siamo un po' a corto di mano d'opera in questi giorni," osservò. "Se ti va di accatastarli ti darò qualcosa di più. E ancora di più se mi spacchi i ceppi più grossi."

Cal si guardò intorno nel cortile. Sentì una bambina piangere.

"Ce l'ha un'accetta?"

Lei gli indicò quello che chiamava il capanno degli attrezzi e disse che ne avrebbe trovata una dietro la porta. Aspettò di vederlo tornar fuori con quello che gli occorreva, poi rientrò in casa.

Cal cominciò ad accatastare la legna sotto una tettoia, buttando da parte i ceppi più grandi. Da dietro l'angolo sbucò una gallina che avanzava inchinandosi ed emettendo suoni lunghi e lenti, simili a quelli del meccanismo di un orologio. Altri polli la seguirono, fermandosi con la zampa sospesa a mezz'aria. Poi ripresero ad avanzare e lo superarono, ignorandolo. L'Anglia gialla non c'era, quindi forse lei era fuori. La vecchia Morton doveva essere di turno come baby-sitter. Le mani gli facevano tanto male che per accatastare i ceppi usava solo le dita. Era come se si fosse ustionato i palmi. Non ce l'avrebbe fatta a riprendere l'accetta. Poteva tornare il giorno dopo a spaccare i ceppi più grossi e a ritirare i soldi. Sarebbe stata un'occasione in più.

Raddrizzò la schiena e si guardò intorno. La casa era rivolta ad ovest, verso un tramonto livido. Nel cielo non c'era uno spiegamento di nubi scarlatte, ma solo la palla rossa del sole che calava nel grigiore dell'autunno. Bussò nuovamente alla porta, senza troppe speranze. Gli venne ad aprire Mrs Morton.

"Ho accatastato quasi tutta la legna," le disse. "Tornerò domani sera per finire... e prendere i soldi."

"D'accordo. Hai rimesso a posto l'accetta?"

"Sì."

Lasciare il camion al mattatoio significava tornare indietro a piedi attraverso il quartiere. Cal camminava tenendosi sul chi vive, guardando nei giardini e spostandosi leggermente in mezzo alla strada quando doveva svoltare un angolo. Da lontano scorse tre figure in fondo alla via. La penombra del crepuscolo stava lasciando il posto al buio della sera e i lampioni erano accesi di un bagliore rossastro che non si era ancora trasformato nella consueta luce gialla. Cal continuò a camminare a testa bassa, mantenendo lo stesso passo. Lanciò una rapida occhiata a controllare il gruppo: ora stavano tutti e tre in piedi, erano i ragazzotti vestiti di jeans che aveva visto davanti a casa. Quando li scorse spostarsi lentamente verso il suo lato della strada, si sentì chiudere lo stomaco. Facendo finta di niente, si girò a guardarsi alla spalle. La via era deserta. Attraversò la strada e riprese a camminare con la stessa andatura. Il primo spostamento poteva essere stato una coincidenza, ma ora esitavano e attraversavano di nuovo. Cal cominciò a respirare profondamente. Le alternative erano due: scappare o combattere. Si frugò nelle tasche in cerca di qualcosa che potesse essergli di aiuto, ma non vi trovò nulla, a parte le sigarette e qualche moneta. La sua unica fortuna era che quella mattina si era messo gli stivali pesanti per andare a lavorare nella proprietà di Pascal. I tre erano fermi davanti a lui e gli sbarravano la strada. Avevano più o meno la sua età e Cal li conosceva di vista, anche se non per nome.

"Quando ve ne andate?" esordì il più grosso, in mezzo agli altri due. "Quando lasciate la casa a una famiglia decente?"

"Noi non ce ne andiamo," rispose Cal spostandosi in mezzo alla strada per superarli. Si sentì imbarazzato per quanto gli tremava la voce.

"Chi vuoi che ci vada ad abitare dopo di loro?" intervenne il più basso.

"Bastardo di un feniano." Quello grosso si scagliò in avanti e afferrò Cal per il bavero della giacca. Con un mezzo salto e una testata Cal gli colpì il naso facendogli colare il moccio sul labbro superiore, e il ragazzo indietreggiò barcollante con la faccia tra le mani. Cal prese a scalciare violentemente con gli stivali contro gli altri due e si sentì a sua volta prendere a calci. Era tutto concentrato nella testa; il dolore sarebbe venuto dopo. La paura agiva su di lui come una specie di anestetico, mentre colpiva con pugni e calci qualsiasi cosa gli capitasse a segno. Gli arrivò una mazzata sulla bocca e la testa gli volò all'indietro. Il più grosso si era ripreso abbastanza da unirsi agli altri e lo colpiva sulle spalle con qualcosa di molto duro. Cal non era ancora andato a terra, ma sapeva che ci sarebbe finito se fosse rimasto lì. Saltò una siepe, distruggendola quasi, e si diede a correre. Nella penombra gli si profilò dinnanzi un'altra siepe e lui ci si buttò in mezzo, saltando e cercando come poteva di farsi strada. I cespugli gli graffiavano la faccia e a un certo punto il suo ginocchio picchiò contro qualcosa di duro, che gli provocò un dolore sordo. Continuò a correre zoppicando lungo il bordo di un campo di stoppie, tendendo l'orecchio ai rumori alle proprie spalle per sentire se lo seguivano. I tre gridavano:

"La prossima volta non ci scappi".

"Bastardo fottuto."

Purtroppo Cal sapeva che avevano ragione. Quello era stato uno scontro occasionale, a pugni e calci, ma la prossima volta sarebbero comparsi bastoni, mazze, coltelli e forse anche di peggio.

Non rallentò il passo, continuò anzi a correre fino a casa nell'eventualità che avessero pensato di precederlo e aspettarlo lì.

Entrò e chiuse a chiave la porta sul retro. Dovette sedersi ancor prima di accendere la luce. Aveva il respiro affannoso e rapido come il ritmo di una sega, e le gambe gli tremavano tanto che non si fidava di alzarsi e andare nell'altra stanza. Si accorse allora che stava piangendo: non di paura, era qualcos'altro. Immaginò di aver avuto la pistola di Shamie e ripercorse momento per momento la scena, con l'unica differenza che questa volta tirava fuori la calibro 38 e faceva saltare la testa al più grosso.

"Sei tu, Cal?" la voce di suo padre coprì quella della televisione.

"Sì."

Andò in bagno e, tremante, si mise davanti allo specchio. Era pallido come la cera. Aveva la fronte graffiata e le labbra cominciavano a gonfiarglisi vistosamente. Le sporse in avanti e parlò alla sua immagine riflessa con una voce da negro. Sputò nel lavandino saliva mista a sangue e si sciacquò la faccia, poi si controllò uno per uno i denti stringendoli tra il pollice e l'indice: non dondolavano. Aveva le nocche spellate e sanguinanti; girò le mani in su e in giù guardandosi le vesciche sul palmo e i tagli sul dorso. Sbuffò e scese al piano di sotto. Quando entrò in soggiorno suo padre non staccò gli occhi dalla televisione.

"È meglio che tieni a portata di mano la tua amica anche stanotte."

"Perché?"

"Mi hanno pestato mentre tornavo a casa."

Shamie alzò lo sguardo.

"Oh Gesù, Giuseppe e Maria." Balzò in piedi ed esaminò la faccia del figlio. "Chi è stato?"

"Non lo so. Un gruppetto dei loro."

Shamie fece per toccare i graffi con la punta delle dita, ma Cal voltò la faccia.

"Non preoccuparti, sto bene." Sentì che la voce gli tremava ancora.

Shamie si avvicinò alla credenza e cercò tra le bottiglie in un tintinnio di vetri. Versò un bicchiere di sherry e lo tese a Cal.

"È l'unica cosa che c'è," disse. Cal bevve il liquore, disgustato dalla sua nauseante dolcezza, e con mano tremante tese il bicchiere per averne dell'altro. Shamie glielo riempì di nuovo.

"Forse dovremmo prendere in considerazione l'idea di andarcene," disse Cal. Si sistemò sulla poltrona e allungò davanti a sé la gamba indolenzita. Il suo vecchio non disse niente e si versò uno sherry. "Hanno il sangue alla testa. La prossima volta faranno sul serio, magari tireranno fuori anche le pistole."

"E dove andiamo?"

"Se resti senza casa, devono trovarti una sistemazione."

Lo sherry fece effetto rapidamente, scaldandogli lo stomaco. I tremiti cominciarono a calmarsi e Cal scoppiò in una risata.

"Un bastardo grande e grosso, con i capelli corti... gliel'ho sistemato per bene il naso."

Mimò la scena della testata per Shamie, ma suo padre non rise.

"Forse dovresti andare via per un paio di settimane," disse. "Potresti andare a trovare la zia Betty."

"Basterà che stia attento."

In televisione apparve la Regina su un cavallo nero, vestita nella sua impeccabile uniforme, e partì l'inno nazionale. Shamie spense senza neanche guardare.

"E poi dicono che siamo in un paese libero, maledizione!"

Cal guardò il quadrato dell'immagine restringersi fino a condensarsi in un unico punto luminoso... e poi svanire. Si alzò barcollando.

"Con tutto quello sherry sono sistemato."

"Oh, e la legna?"

"Venduta. Tutto il carico."

Suo padre fece un fischio e tese la mano.

"Cinquanta percento."

"Domani."

La mattina dopo Cal dormì fino a tardi. Quando finalmente si alzò, era così indolenzito per i calci e il lavoro del giorno prima, che riusciva a stento a muoversi. La testa gli faceva male e gli batteva ogni volta che si chinava; non sapeva se fosse una reazione allo sherry o alle botte. Si appoggiò a un mobile e rimase a fissare la sua immagine che lo guardava nuda dallo specchio. La bocca si era leggermente sgonfiata, ma la parte inferiore del corpo era coperta di lividi bluastri. Si girò per controllarsi la schiena: era pieno anche sulle natiche e sulle cosce, tanti segni precisi delle dimensioni della punta di una scarpa, e sulle spalle, vicino al collo, sembrava che l'avessero preso a cinghiate. Si girò di nuovo e con la mano si coprì il pene grinzoso.

"Grazie al cielo te non ti hanno toccato, ragazzo mio."

Accese lo scaldabagno e quando finalmente entrò nella vasca, rimase sdraiato nell'acqua per mezz'ora prima di osare insaponarsi. Si mise a sedere e si lavò i capelli, versandosi l'acqua sulla testa con una brocca. Sotto quella cascata d'acqua, con gli occhi chiusi per non farci entrare lo shampoo, si sentiva vulnerabilissimo. E se, proprio in quel momento, avessero fatto irruzione nel bagno? Che bersaglio facile sarebbe stato, nudo come un verme, accecato dal sapone, con le braccia tese a cercare a tentoni un asciugamano! Era una sensazione che si portava dietro sin da quando era bambino. Allora non conosceva ciò che lo spaventava, non l'aveva mai visto. Eppure la paura lo assaliva in momenti precisi: nel buio in camera sua, dopo che i suoi genitori erano andati a letto e avevano spento la luce sul pianerottolo, credendo che lui dormisse già; in bagno, con la testa china sul lavandino e la faccia insaponata; appena prima di addormentarsi, quando la coperta di lana morbida diventava dura e ruvida come la superficie della luna contro la sua guancia e allo stesso tempo molle e repellente come un pezzo di trippa. A volte di notte cercava di contare fino a un milione e l'enormità di quel numero lo riempiva di timorosa soggezione. Andare all'inferno per l'eternità... Si rivedeva in piedi accanto al tavolo di cucina, con il mento che arrivava giusto giusto al piano, mentre sua madre preparava qualcosa da mettere in forno. Guardava il barattolo rosso della Royal Baking Powder. Sull'etichetta c'era il disegno di un barattolo di Royal Baking Powder con disegnato sull'etichetta un altro barattolo di Royal Baking Powder. I barattoli rimpicciolivano sempre più, in una vertiginosa spirale verso l'infinito. Si era messo l'etichetta davanti al naso, ma non vedeva altro che minuscoli puntini di colore. Quando sua madre era morta, Cal aveva pensato che era morta per l'eternità. Una volta in paradiso avrebbe saputo se lui commetteva peccati. Ogni tanto, quando si comportava male, gli veniva paura che arrivasse a prenderlo il diavolo, ed era anche peggio quando, dopo una buona azione, immaginava che la Beata Vergine gli apparisse a mezz'aria nel buio, sulla parete della sua stanza.

"Figlio mio," avrebbe detto.

Ma ora che la paura aveva un oggetto più specifico (il tipo grande e grosso con i capelli corti che buttava giù la porta del bagno), era anche meno violenta. Contro quella minaccia poteva fare qualcosa, per esempio chiudere a chiave tutte le porte, mentre per un bambino non c'è porta chiusa che possa tener fuori la paura.

Dopo cena Cal prese in prestito il furgone e tornò alla fattoria dei Morton. Mentre si avvicinava sballottando lungo il vialetto sconnesso, tra le poche macchine parcheggiate davanti alla porta scorse l'Anglia gialla. A undici anni, Cal aveva avuto una passione segreta per una ragazzina bellissima, Moira Erskine, che faceva parte del coro della parrocchia e a Natale cantava l'assolo dell'*Adeste fidelis*. Una domenica dopo la Messa, sul sagrato della chiesa, per chissà quale motivo lei l'aveva chiamato ad alta voce, ma Cal era stato preso da un tale imbarazzo che si era girato e si era messo a correre più forte che mai. Ora avrebbe dovuto fare lo stesso, e invece faceva il contrario. Cercava di avvicinarsi proprio all'unica persona da cui avrebbe dovuto restare a continenti di distanza.

Parcheggiò il furgone vicino alla tettoia e andò a suonare alla porta. Anche questa volta venne ad aprirgli Mrs Morton.

"Sono venuto a spaccare il resto della legna... e a prendere i soldi."

"Va bene, giovanotto," disse lei. "Chiamami quando hai finito. Ti ricordi dov'è l'accetta?"

"Non ne ho bisogno."

Cal si avvicinò al furgone e tirò fuori da dietro la mazza e i cunei di metallo. Aveva le mani ancora tutte rovinate e prima di mettersi al lavoro si sputò sui palmi.

Dopo un po' sentì un rumore di passi nel fango. Alzò gli occhi e vide Cyril Dunlop che attraversava il cortile. Aveva la stessa età di suo padre e i due si conoscevano perché capitava spesso che si incontrassero in città. Erano capaci di fermarsi a chiacchierare per ore a un angolo della strada, e quando tornava a casa Shamie diceva: "Quel Cyril Dunlop ha fatto tutte le marce orangiste che siano mai state organizzate! E credimi, Cal, l'Ordine di Orange è marcio fino al midollo. Se potessero non ci lascerebbero neanche l'aria da respirare".

Cyril portava il berretto calcato fin quasi sul naso.

"E tu, ragazzo?" gli disse. "Cosa ci fai da queste parti?"

Con un cenno del capo Cal indicò la catasta di legna. "Mio padre ha comprato un albero e io sono venuto a spaccare i ceppi."

Cyril si chinò a raccogliere un pezzo di legna e lo soppesò con la mano.

"Brucerà bene una volta secca."
"Non sapevo che lei lavorasse qui."
"Ormai sono più di sei anni," rispose Cyril. "Be', è ora che vada a casa a mangiare." Salutò Cal e salì su una delle macchine. Partì in velocità, schizzando sulla siepe l'acqua scura delle pozzanghere del vialetto.
Cal passava da un ceppo all'altro, ipnotizzato dal rumore metallico del cuneo e dallo scricchiolio del legno che si spaccava. Aveva quasi finito quando sentì una voce infantile che veniva dal cortile davanti alla fattoria. Non aspettandosi di trovarlo lì, la bambina svoltò l'angolo di corsa; era la stessa che aveva visto in chiesa, soltanto avvolta in cappello e sciarpa di lana. Si fermò di colpo e rimase a fissarlo.
"Ciao." Il saluto gli fece male alla gola salendogli alle labbra.
La piccola fece dietrofront e si mise a correre. Un attimo dopo, vestita con una giacca di montone e un paio di stivali di gomma verdi, comparve Marcella. La bambina le indicò Cal ed educatamente lei gli fece un cenno con il capo poi, riconoscendo il ragazzo che le aveva portato la spesa, lo salutò in tono sorpreso. Cal smise di lavorare e appoggiò la mazza a terra.
"Salve... bella serata..." Si sentì uscire di bocca i convenevoli che tanto disdegnava in suo padre.
"Già. Siamo uscite a prendere una boccata d'aria." Appoggiò la mano sulla testa della figlia. "Sto cercando di stancarla prima di metterla a letto." La bambina si nascondeva tra le gonne della madre, rifiutando di guardare Cal. "Mrs Morton mi aveva detto che c'era qualcuno qui fuori, ma non sapevo che fosse lei."
"È arrivata a casa bene l'altra sera?" chiese Cal.
"Come?" fece lei con aria confusa.
"Con la spesa..."
"Ah, sì! Grazie ancora."
Notò il cuneo conficcato a metà nel legno in modo da aprirvi una fenditura.
"È un metodo intelligente," osservò, indicando il ceppo. "Non l'ho mai visto fare a nessuno."
"È un vecchio trucco di mio padre."
Lei sorrise e mosse la punta dello stivale da un lato all'altro facendo perno sul tallone. Cal le spiegò come si usava il secondo cuneo per approfondire la spaccatura fino a far cadere fuori il primo.

"È un po' come 'Datemi un punto d'appoggio e vi solleverò il mondo'; datemi il cuneo giusto e ve lo spaccherò in due."

Marcella rise. "Questa è bella," disse. Aveva i denti bianchissimi. La bambina cominciò a tirarla per la gonna; voleva andare. "Un attimo ancora, tesoro."

Cal era tutto sudato per la fatica; la camicia aperta fino alla vita lasciava scoperto il suo petto magro e senza peli. Cominciò ad allacciarsi i bottoni.

"Ero tornata al lavoro da una settimana," riprese Marcella. "Andava tutto storto, e quel giorno mi sembrava che il mondo ce l'avesse con me. Poi è arrivato lei a darmi una mano."

"Le Guide mi hanno dato la medaglia d'oro."

La bambina continuava a tirarle la gonna e si stava mettendo a piagnucolare. Marcella non doveva aver colto la battuta o forse non la trovava divertente. Aveva un'espressione seria.

"Devo andare. Va bene, va bene, Lucy. Adesso andiamo." Si incamminò. "Mi ha fatto piacere vederla," disse.

Cal rimase a guardarle allontanarsi sul fango segnato di impronte, finché scomparvero dietro il fienile. Sollevò la mazza in alto sopra la testa e la lasciò precipitare con tutto il suo peso. Mancò completamente il cuneo e impresse un segno sugli anelli chiari del legno, simile all'impronta di uno zoccolo. Decise di fermarsi a fumare una sigaretta, nel timore che se avesse continuato a lavorare si sarebbe rotto qualcosa, e si sedette sulla ribalta del furgone con i piedi appoggiati a terra. Il fiammifero si consumò e lui lo buttò via, mandandolo a sfrigolare in una pozzanghera.

In lontananza, sulla strada, vide passare dietro i cespugli la sagoma squadrata di una Land Rover della polizia. Si irrigidiva ogni volta che se ne trovava davanti una. Quando la macchina imboccò il vialetto dei Morton Cal si alzò. L'auto avanzava traballando verso la fattoria: nessuno sapeva che lui era lì, ma forse la vecchia li aveva chiamati per telefono. Possibile che qualcuno l'avesse riconosciuto? Appoggiò la sigaretta accesa sulla ribalta e si nascose alla vista dietro il muro della tettoia. Sentì la Land Rover che si fermava, poi delle voci; erano voci calme, ridevano. Cal tornò alla sua sigaretta. Davanti alla porta c'era un poliziotto della Ruc con il giubbotto antiproiettile di tela verde sopra l'uniforme nera. Un altro era rimasto in macchina, un baluginio di luce si rifletteva sulla visiera lucida del suo berretto nero dietro la pesante griglia di protezione del parabrezza. Cal si sentiva osservato. Tirò una boccata dalla sigaretta e la riappoggiò, poi prese la mazza e cominciò a battere sull'altro cuneo. Udì Mrs Morton che apriva la porta. Le voci si allontanarono e la porta si richiuse. Cal continuò a lavorare, sentendosi addosso gli occhi del poliziotto che aspettava in macchina. Scomparve dietro il muro e si mise a impignare la legna. Se il figlio di Mrs Morton aveva fatto parte delle Riserve della Ruc, era perfettamente naturale che loro fossero lì: un messaggio, affari, o forse un amico.

La catasta di legna era quasi completa quando Cal sentì di nuovo le voci. Misero in moto la Land Rover e Mrs Morton rimase a salutarli con la mano mentre si allontanavano. Cal le si avvicinò.

"Ho quasi finito."

"Bene. Fammi vedere."

Fece il giro della casa con lui per dare un'occhiata.

"Bel lavoro," disse. "Quanto ci vorrà perché secchi?"

"Può lasciarla riposare più o meno una settimana. Comunque l'albero era morto da più di un anno, quindi può usarla quando vuole."

"Vieni che ti do i soldi."

Cal la seguì fin sulla soglia di casa e si fermò esitante.

"Vuoi una birra?" gli chiese Mrs Morton voltando la testa verso di lui. Cal annuì. "Dai, allora. Entra."

"Ho gli stivali sporchi." Se li tolse e li lasciò nell'ingresso. Non aveva buchi nelle calze, ma i calcagni erano così consumati che erano diventati sottili come garza. La seguì nell'ampia cucina e si sedette su uno sgabello vicino al tavolo. Lei prese una lattina di birra da un armadietto e la aprì. Si guardava in giro cercando un bicchiere.

"Va bene la lattina," disse Cal.

Ma Mrs Morton insistette per servirgli la bevanda con mano tremante. Il bicchiere era pulito, ma non pulitissimo e la birra era sgasata e senza schiuma come una limonata. Nonostante tutto Cal fu contento di berla.

"Lo fai di lavoro?" chiese lei.

"Cosa?"

"Spaccare la legna."

"No. Mio padre ha comprato un albero e io l'ho aiutato. Sono disoccupato."

"Come tanti altri."

Alla destra della cucina a gas c'era una scatola di tè con il ritratto della Regina. Mrs Morton prese dalla borsa un portafoglio e cominciò a contare le banconote ancora perfettamente lisce. Le aprì a ventaglio e gliele tese. Di nuovo Cal notò che mentre gli porgeva i soldi la mano le tremava, come scossa da un lento brivido.

"Dopodomani raccogliamo le patate, se vuoi venire. La paga non è granché, ma è meglio di niente."

"Grazie," rispose lui prendendo il denaro. Gli aveva dato cinque sterline in più per il lavoro fatto. Non era abbastanza, ma Cal ebbe l'impressione che non fosse nemmeno così poco da potersi lamentare mentre beveva la birra che lei gli aveva offerto.

"Allora?"

"Sì, mi va bene."

"Si comincia alle otto."

"Non ci saranno problemi con il sussidio o roba del genere?"

"Non credo proprio. Del resto sta a te decidere cosa fare a questo proposito." Mrs Morton stava in piedi con le braccia incrociate, aspettando che lui finisse di bere.

"Un camion passa a prendere gli uomini alle sette e mezzo all'angolo con l'ufficio postale se ti interessa."

Cal disse che si sarebbe fatto trovare lì e si alzò per scolare il bicchiere. Mrs Morton lo stava accompagnando in corridoio quando dalla stanza di fronte si sentì provenire un terribile accesso di tosse. La vecchia lo lasciò lì ed entrò immediatamente nella camera. Con la porta aperta Cal sentiva ancor più distintamente i colpi di tosse. Avevano un suono bagnato e gorgogliante, come i rantoli di un'agonia, e si susseguivano senza tregua, incalzanti, senza lasciar spazio al respiro. Cal, che teneva lo sguardo fisso sui piedi avvolti nelle calze, si sentì venire il voltastomaco. La voce di Mrs Morton si affaccendava confortante intorno alla terribile tosse. Sembrava che il malato stesse per morire, che avrebbe sputato l'anima se l'attacco non si fosse calmato. Cal cercò di assordarsi l'udito fissando intensamente la parete; avevano messo una tappezzeria nuova a fiori azzuri. Pensò persino di andarsene per scappare da quel rumore, ma a un tratto la tosse cessò. Rimase solo la voce di Mrs Morton a consolare, a rassicurare. Poi la sentì dire:

"Torno subito".

Riapparve sulla soglia per congedare Cal.

"Quella sera mio marito è rimasto gravemente ferito. L'hanno colpito alla laringe e al polmone." Si indicò il petto e il collo per mostrargli esattamente dove. Ne parlava come se Cal sapesse benissimo cos'era successo, e questo lo innervosiva. Lui annuì con aria comprensiva, fermandosi appena il tempo di infilarsi gli stivali senza allacciarli, quindi se ne andò. Quando arrivò al furgone i lacci erano inzuppati e tutti sporchi di fango. Allacciandoseli si lasciò sulle mani lunghi segni neri.

Era una mattina fredda e bigia. Arrivato all'angolo dell'ufficio postale, Cal salutò con un cenno assonnato gli altri. Qualcuno aveva la sua età, ma la maggior parte erano ragazzi e ragazze che saltavano un giorno di scuola per guadagnarsi un po' di soldi; ai suoi tempi l'aveva fatto anche lui. Portavano tutti abiti vecchi e stivali di gomma. In piedi sul pianale, mentre il camion li portava alla fattoria, erano di buon umore e in vena di scherzare. Il vento faceva svolazzare i capelli di Cal e qualcuno dei ragazzi più giovani rise alla vista. Ad un tratto, con uno stridio di gomme, una Land Rover della polizia balzò sulla strada dietro di loro, mentre sul tetto la sirena urlava il suo raglio. Il motore ruggì al loro fianco e la macchina li sorpassò a una velocità tale che la carrozzeria si inclinò rispetto al telaio.

Qualcuno disse: "Gesù, a quella velocità non vanno certo in giro a vendere gelati!"

Tuttavia, a mano a mano che la giornata procedeva, le risate si spensero. Cominciò a scendere una pioggerellina finissima che trasformò il campo in un pantano. Il fango si infilava sotto le unghie lunghe di Cal che, costretto a tirarsi continuamente indietro i capelli bagnati con le mani sporche, ben presto si sporcò anche la fronte. Dopo un po' le dita gli si gonfiarono come salsicciotti per il freddo. Il trattore, guidato da Cyril Dunlop, passava a rivoltare terra e patate con un'ineluttabilità che Cal odiava. L'unica nota di colore nel paesaggio erano il rosso e il blu dei cesti di plastica che usavano per la raccolta; tutto il resto era del marrone giallastro delle patate, dai loro vestiti al campo stesso su cui erano sparsi i tuberi con la pelle scura e secca. Di tanto in tanto Cal trovava una patata aperta a metà dal trattore e quella chiazza bianca e pulita era un sollievo per gli occhi.

Il campo aveva un andamento ondulato, dominato in lontananza dalla fattoria dei Morton. Mano a mano che si avvicinava l'ora di pranzo, i braccianti alzavano sempre più spesso lo sguardo in quella direzione. Sembrava che Cyril non avrebbe mai dato l'alt. Ma infine si decise: fermò il trattore e lanciò un fischio con due dita pulite e asciutte.

Mrs Morton servì il pranzo per tutti nella grande cucina, con il pavimento coperto di giornali. Cavolo, pancetta e purè con l'intingolo dell'arrosto. Fumare durante il lavoro non dava piacere, con le mani in quello stato, così dopo mangiato Cal fumò tre sigarette di seguito, usando il mozzicone di una per accenderne un'altra. Si era seduto su uno sgabello, con la schiena a pezzi, ed ebbe l'impressione che fossero passati solo cinque minuti quando Cyril li richiamò al lavoro. Il segnale fu accolto da un coro di borbottii e proteste.

Il pomeriggio trascorse lento sotto la pioggia che cadeva pigra. Cal si accorse che la ripetitività del lavoro faceva sprofondare la sua mente in lunghi periodi di vuoto e ripensandoci ne fu felice: non gli succedeva spesso di riuscire a spegnere la testa per un po'.

Per tre giorni, sebbene arrivasse a sera sudicio, il lavoro ebbe su di lui un effetto purificante. Era come se l'ozio avesse permesso alla polvere di accumularsi sulla sua anima, di ostruirgli la mente, e il lavoro lo spingeva finalmente ad attraversare quel paesaggio inerte. Una sera dopo aver fatto il bagno, guardandosi allo specchio per controllare i lividi, vide che stavano passando dal blu scuro a un giallo brunastro. Le unghie che usava per suonare la chitarra erano tutte rotte e sporche di fango, e siccome avevano un aspetto disgustoso, decise di tagliarsele. Caddero sull'asciugamano come nere falci di luna e quando ebbe finito Cal le raccolse tutte e cinque e le buttò fuori dalla finestra. Con i soldi che aveva guadagnato poteva comprarsi quelle di metallo: le unghie lunghe erano uno dei pochi privilegi dei disoccupati. Arrivava a sera così stanco dal lavoro che appena appoggiata la testa sul cuscino si addormentava.

Nonostante la raccolta delle patate fosse un'occupazione che non richiedeva l'uso della testa, gli piaceva essere lodato. Un paio di volte nel corso dei tre giorni passando con il trattore Cyril gli aveva gridato:

"Stai facendo un bel lavoro, ragazzo".

Due volte al giorno portavano il tè nel campo. La grande teiera sobbalzava appoggiata sul retro del trattore e tutti si sedevano sui sacchi di fianco al fosso in cui scorreva un rivolo d'acqua a bere da tazze di smalto bianco. Durante quelle pause Cal ebbe modo di chiacchierare con Cyril e lo trovò abbastanza affabile per essere un orangista. Finita la raccolta, mentre in fila davanti al grande tavolo della cucina aspettavano di essere pagati, Mrs Morton chiese a Cal di fermarsi. Spiegando che erano ancora a corto di mano d'opera, gli offrì un lavoro alla fattoria.

"Ma sia chiaro, niente più sussidio." Si sistemò la stanghetta degli occhiali con le dita tremanti. "Parla con Cyril Dunlop, il mio fattore. Lui ti dirà cosa fare. Puoi cominciare lunedì?"

Sebbene non ci avesse pensato prima, Cal sapeva che era la proposta che aspettava e l'accettò immediatamente.

3

Il venerdì pomeriggio il camion lo depositò in fondo alla via, in un punto sicuro, e Cal fece il resto della strada a piedi, camminando a testa bassa e stringendosi nelle spalle per difendersi dal freddo. L'acqua calda per il bagno sarebbe stata pronta solo dopo mangiato. Alla fattoria avevano finito presto e lui era arrivato a casa molto prima di suo padre. Quando Shamie varcò la soglia, la cena era pronta e Cal era in cucina che canticchiava, suonando la batteria sullo scolatoio con due coltelli. Voleva tenere la buona notizia del lavoro per quando si fossero seduti a tavola, così avrebbero avuto qualcosa di cui parlare. La televisione trasmetteva un programma per bambini e loro avevano abbassato il volume in attesa del telegiornale. Quando furono seduti Cal annunciò:

"Mi hanno offerto un lavoro".

"Bravo il mio ragazzo!" Shamie gli diede un colpetto sulla spalla, l'unica parte di Cal che potesse raggiungere restando seduto. "Dove?"

"Alla fattoria dei Morton. Gli stessi delle patate."

"Pagano bene?"

"Non lo so, ma è sempre meglio del sussidio."

"Comunque sia, congratulazioni!" disse il padre, alzando la tazza di latte alla sua salute. "A proposito, il grande Crilly ha detto di passare da lui dopo cena."

Cal interruppe il brindisi a metà. L'avrebbe mai lasciato in pace quel bastardo? Il purè di patate gli si trasformò in un batuffolo di cotone in bocca e a stento riuscì a inghiottirlo. Iniziò il telegiornale, e mentre Shamie andava ad alzare il volume Cal ne approfittò per portare il piatto in cucina. Buttò la cena nella pattumiera, ascoltando la voce pacata dello speaker che annunciava i titoli del giorno: due cadaveri incappucciati erano stati rinvenuti alla periferia di Belfast; ordigni erano esplosi a Strabane, Derry e Newry ma non avevano causato feriti; si prevedeva un altro aumento del prezzo del carbone; e infine c'era l'elefante del Bellevue Zoo che aveva bisogno del dentista.

"Vado a fare il bagno," disse Cal. Shamie non staccò gli occhi dallo schermo.

Sentendosi esteriormente pulito, con i capelli legati a coda da un elastico, prese il furgone e andò da Crilly. Lo stesso Crilly gli venne ad aprire masticando, lo fece entrare in soggiorno e accese la stufa elettrica; poi disse che sarebbe tornato subito. Cal si lasciò pesantemente cadere su una poltrona e prese a guardarsi intorno. Dalla stanza adiacente gli arrivavano, discontinue e ovattate, le risa forzate del pubblico di chissà quale spettacolo televisivo. Alla parete era appesa la fotografia di un bambino vestito di stracci, con una lacrima che gli luccicava sulla guancia sporca; accanto c'era una targa di legno su cui un ago aveva inciso a fuoco: PRODOTTO NEL CAMPO DI CONCENTRAMENTO DI LONG KESH. Sulla targa era stato malamente disegnato un pugno chiuso avvolto nel filo spinato, e sotto c'era scritto: L'IRLANDA NON AVRÀ PACE FINO A CHE NON SARÀ LIBERA.

C'era poi una lastra di ottone, sbozzata in modo da lasciare in rilevo una figura e una poesia. La figura era quella di una vecchia seduta di profilo, con una cuffia in testa, e la poesia era intitolata: "Una madre". Elencava tutte le cose buone che una madre fa e il verso finale diceva: "L'unico dolore che ti può dare è morire". Cal pensò alla signora Crilly con i seni pendenti e il maglione attillato, rosa come le sue gengive; poi pensò a sua madre e dovette girarsi a guardare qualcos'altro. Si vide riflesso nello specchio sopra il caminetto: il bordo dello specchio era ornato di rose rosse e gialle. Piegò le labbra in un sogghigno.

Crilly rientrò nella stanza con in mano una tazza di tè e una fetta di pane e marmellata. Si sedette davanti a Cal, piegò il pane in due e lo morse, lasciandovi una mezza luna vuota e sporcandosi gli angoli della bocca di marmellata. Parlò con voce soffocata dal boccone.

"Allora?" disse.

"Allora cosa?"

"Sei pronto per stasera?"

"Cosa dobbiamo fare?"
"Tu devi guidare, tutto qua. Una rivendita di alcolici a Magherafelt."
"Armi?"
"Per guardarci le spalle."
Crilly finì di mangiare e buttò la crosta del pane nel camino vuoto.
"Non ti preoccupare, Cal. Sarà un lavoretto facile."
"E la macchina?"
"Ho sistemato tutto. Ti va bene una Cortina?"
Cal annuì.
"Comunque non c'è fretta. Più tardi arriviamo, più avranno incassato."
La porta si aprì e la madre di Crilly fece capolino nella stanza. Aveva qualcosa di diverso dal solito.
"Non hai chiesto a Cal se vuole una tazza di tè," disse rivolta al figlio.
"No, grazie. L'ho appena preso," rispose Cal.
Mrs Crilly entrò e fece una giravolta in mezzo al soggiorno, tenendo sollevato il lembo del vestito come una modella.
"Ti piacciono i miei denti nuovi?" chiese, e sorrise a tutta bocca. Cal le assicurò che li trovava bellissimi; Crilly, seduto in poltrona, alzò gli occhi al cielo.

Uscirono di casa alle nove. Cal guidò il furgone all'indirizzo che Crilly gli indicò, dall'altra parte della città, e arrivati a destinazione si appoggiò con la schiena al muro ruvido su un lato della porta mentre Crilly suonava il campanello.
"C'è tuo padre?"
Crilly si girò verso di lui e gli strizzò l'occhio. Una voce maschile disse:
"Oh, sei tu, *a chara* ".
Ci fu un tintinnio di chiavi e Cal vide sporgere oltre la soglia la mano che tendeva il mazzo.
"Ricordati che non ti sei accorto di niente fin dopo le undici."
"O.K."
"Se non fai come ti ho detto ti spezzo le gambe, e se non potrò farlo io ci penserà qualcun altro."
L'uomo scoppiò in una risata e Crilly gli sorrise.
Quando la porta si richiuse Cal si incamminò per il vialetto, montò sul furgone e si accodò a Crilly che guidava la Cortina

bianca. Appena fuori Magherafelt la Cortina mise la freccia e, lasciata la strada, entrò in un vivaio. Gli alberi erano sagome scure nella luce rossa dei fanalini di sosta. Crilly scese e cominciò a contarli, poi si inoltrò fra i giovani tronchi. Appoggiato alla macchina bianca Cal si accese una sigaretta e, tenendola tra le labbra, si infilò un paio di sottili guanti di pelle. Le mani gli tremavano. Sentiva lo scalpiccio di Crilly che si muoveva tra gli alberi; infine lo vide arrivare con un pacchetto in mano. Cal si mise al volante della Cortina e Crilly salì dalla parte del passeggero.

"Una per me e una per te," disse.

"Non la voglio," rispose Cal. "Io faccio solo da autista."

Crilly caricò la pistola alla luce del vano portaoggetti aperto, mentre Cal spingeva con la schiena dolorante contro il sedile imbottito per sistemarlo alla distanza giusta.

"Quando guidi ti metti i trampoli?" chiese.

"Carico anche la tua, non si sa mai..."

"Finirei per spararmi da solo."

Crilly portava un elegante paio di guanti da chauffeur, bucherellati sul dorso. Cal girò la macchina, scandagliando con i fari le profondità del terreno secco e scuro della piantagione. Lungo la strada non si scambiarono una parola; Crilly canticchiava e faceva schioccare la lingua. Cal aveva voglia di gridargli di smetterla. Provò l'accelerazione e la tenuta di strada della macchina e la Cortina rispose alla perfezione. Mentre si avvicinavano a Magherafelt disse:

"Per l'amor del cielo, Crilly, non usare quell'aggeggio".

"È un ottimo mezzo per convincere la gente a sbrigarsi."

Per arrivare alla rivendita di alcolici non era necessario passare attraverso gli sbarramenti di sicurezza che bloccavano l'accesso al centro. Cal si fermò sul lato opposto della strada e per un po' rimasero in macchina a controllare la situazione. Dal negozio uscì un cliente che portava sulle braccia una borsa di plastica, ma attraverso la porta di vetro smerigliato era difficile dire se il negozio fosse pieno.

"Sai com'è dentro?"

"Ci sono stato due volte questa settimana."

Cal mise la freccia e fece una svolta a U, andando a parcheggiare in doppia fila proprio davanti alla rivendita. Crilly si infilò un paio di occhiali da sole e scese dalla macchina.

"Tieni il motore acceso," ordinò.

Cal si tirò su il bavero del cappotto. Crilly si sollevò in punta di piedi per guardare dentro oltre la metà smerigliata del vetro su cui era scritto il nome del negozio. Cal lo vide alzare il cappuccio della giacca a vento, coprirsi la bocca con la sciarpa, spingere la porta con un piede ed entrare. La porta tornò indietro da sola alle sue spalle, ma nell'attimo in cui rimase aperta, come attraverso l'otturatore di una macchina fotografica, Cal scorse due clienti che alzavano lo sguardo spaventate. Quando la porta si fu richiusa, comiciò a contare. Quattordici, quindici, sedici. Sapeva che per scandire i secondi bisognava dire mille e diciassette, mille e diciotto. Un uomo svoltò l'angolo e si diresse verso la Cortina. Un poliziotto? Non è permesso parcheggiare in seconda fila, signore. Ma aveva un cane al guinzaglio. Il cane continuava a fermarsi ad annusare la parte bassa dei muri. Dopo ogni annusata, sollevava la zampa posteriore e faceva i suoi bisogni sopra gli escrementi lasciati da qualche altro cane. Mille e quaranta, quarantuno, quarantadue. Abbassò lo sguardo sul portaoggetti accanto al cambio e si accorse con orrore che la pistola che Crilly gli aveva lasciato era perfettamente visibile alla luce dei lampioni. La coprì con uno straccio preso dal vano del cruscotto. L'uomo era ormai quasi arrivato a fianco alla macchina. Cal si girò dall'altra parte, fingendo di cercare qualcosa sul sedile posteriore. Dove cazzo era Crilly? Stava scegliendo una bottiglia di vino? L'uomo si fermò pazientemente ad aspettare il suo cane e poi riprese a camminare verso il cono di luce del lampione seguente. Cal abbassò il finestrino per cercare di cogliere qualche rumore. Per strada si sentiva la musica fievole di un disco suonato da un jukebox. Fissò la porta tentando di non sbattere le palpebre, finché gli occhi cominciarono a bruciargli. Dove si era cacciato quel gran bastardo? Era arrivato a mille e novanta? Rinunciò a contare. Crilly era lì dentro da due o tre minuti. All'improvviso la porta si spalancò e in quel fugace istante Cal vide le due donne sdraiate a faccia in giù sul pavimento. Ingranò la prima e mandò su di giri il motore. Crilly, con in mano una borsa di plastica con il marchio della Harp, pestò gli stinchi passando tra duc macchine parcheggiate e imprecò. Finalmente balzò sul sedile del passeggero; stringeva ancora in pugno la pistola. Prima che avesse il tempo di chiudere la portiera, la macchina era già partita.

"Perché ci hai messo tanto?" gli gridò Cal.

"Sono stato un lampo."

"Cosa hai fatto alle due donne?"

"Le ho fatte sdraiare a terra."
"Gesù, credevo che le avessi ammazzate!"
Cercando di non far stridere le gomme per non attirare l'attenzione, Cal si allontanò il più velocemente possibile, svoltò l'angolo e imboccò la strada principale.
"È stato facile... una scemata," disse Crilly. "Dovevi vedere come tremavano sui loro fottuti tacchi alti. Non riuscivano neanche a infilare i soldi nella borsa." Rideva, ma Cal lo attribuì al nervosismo. Si chinò in avanti e avvertì una zaffata di sudore che gli saliva da sotto il cappotto: sapeva di cipolla. Sentì Crilly che ripiegava gli occhiali da sole e se li infilava in tasca.
"Schiaccia a tavoletta, ragazzo."
Ma il pedale dell'acceleratore era già piatto sotto la suola di Cal.
Abbandonarono la macchina nel vivaio e risalirono sul furgone.
"Sei sicuro di aver preso tutto?" chiese Cal girando la chiavetta di accensione. "Oh Cristo, l'altra pistola!" Saltò giù a recuperarla da sotto lo straccio e la passò attraverso il finestrino a Crilly. Ripartirono a tutta velocità, mentre Crilly impacchettava di nuovo le armi.
"Le buttiamo al castello," disse.
"Prima è meglio è," rispose Cal.
Un muro di cinta correva per una decina di chilometri lungo il lato destro della strada, in diversi punti diroccato e cadente. Cal fermò il furgone quando Crilly glielo ordinò, accanto alla prima breccia oltre il ponticello su cui erano passati abbandonando la strada principale. Crilly si guardò intorno e, non vedendo fari, scese dal furgone con il pacchetto. Tornò quasi subito, barcollante per il gran ridere.
"Cosa ti è preso?" gli domandò Cal.
"Mi è appena tornata in mente una cosa."
"Cosa?"
"La donna dietro il bancone. Prima si rifiuta di darmi i soldi e poi, quando le punto contro la pistola, mi fa: 'Per chi è?' Come se facesse differenza essere rapinati da una o dall'altra parte."
"Dovevi dirle che era per i bambini del Biafra," ribatté Cal.
Erano ormai vicini a casa e Crilly se la rideva ancora sommessamente. Ad un certo punto Cal lo sentì frugare nella borsa di plastica; accese la luce interna e cominciò a frugare tra le banconote.

Cal si lamentò che non vedeva la strada e Crilly allora spense la luce e si mise in tasca dei soldi.

"Vuoi una piccola ricompensa?" chiese. Cal rispose di no, ma lui gli buttò una mazzetta sulle gambe.

"Te li meriti," disse. "La Causa può permetterselo."

Cal insistette che non gli sembrava giusto, ma quando fermò il furgone davanti a casa del maestro si tastò le gambe e mise via i soldi.

"Sono ancora aperti i pub?" Crilly diede un'occhiata all'orologio e annuì. "Sbrigati allora."

Skeffington abitava in una villetta con un vialetto di ghiaia. Mentre Crilly si avvicinava dall'interno giunse un frenetico abbaiare, dopodiché la porta si aprì leggermente. Cal vide Crilly passare la borsa e poi girarsi e fare un cenno con la mano verso il furgone. Scese imprecando.

"Cahal, *a chara* .. Vieni, vieni," chiamò Skeffington.

"Pensavamo di andare al pub."

"Vi offro io qualcosa da bere."

Sembrava che Crilly avesse perso la lingua. Skeffington afferrò il pastore tedesco per il collare e li fece entrare. Cal esitò un attimo, ma infine seguì Crilly. Era una casa lussuosa, piena di specchi dorati e con le pareti tappezzate di costosa carta da parati.

"Tanto più che mi fa piacere farti conoscere mio padre," aggiunse il maestro.

Il cane lupo annusava il cavallo dei jeans di Cal e Skeffington gli diede una pacca sul naso, poi li fece accomodare in una stanza mentre lui portava via il cane.

"Perché non gli hai detto che volevamo andare al pub?" domandò Cal.

"Non mi andava."

"Leccaculo."

Stavano in piedi in mezzo alla stanza, imbarazzati all'idea di sedersi sulle poltrone bianche. La porta si aprì ed entrò il vecchio Skeffington, seguito dal figlio.

"Questo è mio padre, Cal. L'uomo di cui ti ho tanto parlato."

Ci fu un breve giro di presentazioni. Il vecchio era basso e calvo, ma identico al figlio. Aveva persino lo stesso tic, lo stesso modo di arricciare il naso per aggiustarsi gli occhiali. Portava una giacca sportiva di tweed che sembrava troppo grande per lui e Cal notò che la vita dei calzoni gli arrivava sotto le ascelle. Durante le presentazioni il vecchio si limitò ad annuire, ma non disse una parola.

Finbar insistette perché si sedessero e si diede da fare a versare qualcosa da bere. Il vecchio sembrò scomparire, sprofondato nella poltrona. Suo figlio non smetteva un attimo di parlare.

"Prima che arrivaste, papà mi stava raccontando una bellissima storia." Il vecchio Skeffington annuì e sorrise debolmente. "Gli è successa oggi, passando lo sbarramento. Negli ultimi giorni il volume del transistor si era abbassato – un po' di whiskey, Cal? Acqua?... E così papà era uscito per comprarsi delle pile. Le ha prese da Hanna, fuori dal blocco di sicurezza, e poi doveva andare in centro. E tu, papà?" Suo padre gli indicò con il pollice e l'indice quasi attaccati uno all'altro quanto whiskey voleva. "Questo ragazzotto inglese lo fruga e gli fa: 'Quello cos'è?' riferendosi al pacchetto che aveva in tasca. E papà risponde: 'Pile'. E lui: 'Va bene. Può andare'."

Abituato da buon astemio a bere aranciata, Finbar abbondò con il whiskey nei bicchieri di cristallo Waterford. Li distribuì, poi si versò un'acqua tonica. Cal aspettava la morale della storia. "Uno può nascondere una bomba sotto il cappotto e, ammesso che la dichiari, lo lascerebbero passare. Io faccio l'insegnante, Cal, e so che in Inghilterra non è diverso: sono i disadattati che finiscono nell'esercito. Gli idioti, gli psicopatici... proprio il tipo di persone a cui *mai* bisognerebbe dare in mano una pistola." Finbar si sedette sul bracciolo del sofà con il bicchiere in mano. "Papà ne ha tante da raccontare quando comincia."

Il vecchio sorrise e bevve un sorso di whiskey.

"Papà, ti ricordi la storia di Dev in O'Connel Street?" Di nuovo lui annuì. Seguì un lungo silenzio. "E quella di Patsy Gribben?" Il padre fece di sì con la testa per l'ennesima volta. Finbar si rivolse ai due ospiti: "Patsy Gribben era un tipo che bazzicava il negozio di mio padre. Era sempre in giro a chiedere l'elemosina, ma il suo vero problema era l'alcol. E un giorno tu hai deciso di fidarti di lui, non è andata così, papà?" Il vecchio concordò che era andata così. "Allora gli hai dato... non erano mille sterline?... Da mettere in banca. Be', quel giorno Patsy Gribben non è tornato indietro. Non c'è da stupirsene: questa ti farà ridere, Cal. Lo fermano sull'Embankment a Belfast, ubriaco fradicio. E vuoi saperne una bella? La polizia gli ha trovato in tasca novecentonovantasette sterline. Povero Patsy!"

Il vecchio Skeffington finì il suo whiskey e sorrise. Cominciò ad armeggiare, cercando di alzarsi. Finbar gli mise una mano sotto l'ascella e lo aiutò a mettersi in piedi. Il padre gli sussurrò qualcosa e poi salutò con la mano Cal e Crilly. Finbar lo accompagnò fuori dalla stanza, sorreggendolo delicatamente per il gomito.

"Ha già un piede nella fossa," disse Cal.

"Cosa?" Crilly si sporse in avanti, ma Finbar rientrò quasi subito. Cal guardò l'orologio: i pub erano chiusi da dieci minuti.

"Dice che stasera è un po' stanco," spiegò Skeffington. "Non è straordinaria la sua riserva di aneddoti?"

Gli ospiti risero educatamente. Skeffington si lasciò scivolare sul divano e domandò:

"Quanto c'era?" Cal si strinse nelle spalle e Crilly disse che non li aveva contati.

"Allora contiamoli adesso."

Skeffington rovesciò sul tavolo il contenuto della borsa e tutti insieme divisero le banconote in mazzette. Mentre contavano in silenzio, Cal fu lì lì per dire che aveva trovato un lavoro, ma sapeva che subito gli avrebbero chiesto "Dove?", e a quella domanda non voleva rispondere. Se Crilly fosse venuto a sapere che Cal bazzicava la fattoria dei Morton, avrebbe minacciato di rompergli le gambe... e forse non si sarebbe limitato a minacciarlo, forse l'avrebbe fatto davvero. E magari Skeffington avrebbe pensato di fargli anche di peggio. Alla fine si trovarono con settecentoventidue sterline. Skeffington si congratulò.

"Credo che dovremmo mettere informalmente da parte qualcosa per la moglie di Gerry Burns. Hanno quattro bambini e deve essere difficile tirare avanti."

"E Peter Fitzsimmons?" chiese Crilly.

"Sua moglie lavora."

"Quello che è giusto è giusto."

"O.K., fammici pensare su." Skeffington mise uno sopra all'altro i mazzetti di banconote di taglio diverso e li infilò per bene nella borsa. "Allora, Cal, va un po' meglio dopo stasera?"

"No."

"Sei sempre deciso a... rifiutarci il tuo aiuto?"

"Credo di sì."

"Non agire, sai, *è* agire." Crilly sembrava perplesso. "Non facendo niente contribuisci a tenere qui gli inglesi."

Crilly annuì energicamente e disse:

"Se non fai parte della soluzione, fai parte del problema".

"Ma sembra tutto così inutile," obiettò Cal.

Skeffington lo fissò in silenzio. Quando riprese, scandì le parole come se stesse parlando con i suoi alunni.

"È come stare seduti su una sedia che scricchiola. Prima o poi si stuferanno e si cercheranno un'altra sedia."

"Come può paragonare far saltare il cervello a un uomo a far scricchiolare una sedia?" chiese Cal.

Skeffington scrollò le spalle. "È così che la vedranno tra un centinaio d'anni."

"Lei non ha cuore."

"Come osi? Tu sei un presuntuoso, Cal. Tu non hai idea di cosa senta il mio cuore." Poi con voce più calma proseguì: "Conoscete la poesia di Pearse 'Madre'?" I due ragazzi scossero il capo, e Skeffington cominciò a declamare:

"'*Non porto rancore, Dio, non porto rancore*
per i due figli che ho visto uscire
a buttare la loro forza al vento e morire,
insieme a pochi altri,
in una protesta di sangue
per una causa gloriosa...'

E la poesia finisce così, Cahal,

'*Ma una gioia mi resta:*
i miei figli sono stati fedeli e hanno lottato.'

Non si può dire lo stesso di te, Cahal."

"Ma oggi non è come nel 1916."

"Neanche nel 1916 era come nel 1916."

Ci fu un lungo silenzio.

"Ha un portacenere?"

Skeffington si alzò e si guardò intorno.

"Ce ne dovrebbe essere uno in casa da qualche parte." Uscì dalla stanza e Cal disse:

"Andiamocene".

"Tra un momento."

Il maestro tornò indietro con un portacene pulito e glielo appoggiò sul bracciolo della poltrona.

"Cosa stavi dicendo, Cahal?"

"Era lei che parlava." Con il dito Finbar si spinse indietro sul naso la montatura degli occhiali e accennò un sorriso. Cal riprese tranquillamente:

"Discutevamo della mia sostituzione".

"Noi non vogliamo sostituzioni, vogliamo reclute. Più sono meglio è. Se solo lasciassero di nuovo liberi i Parà a Derry..."

"Quei bastardi!" esclamò Crilly.

"Non diresti così se fossi stato uno dei tredici che hanno ucciso."

"Probabilmente no."

"Vi dimenticate la merda, il sangue e le lacrime."

Skeffington bevve un sorsetto di acqua tonica.

"Dobbiamo essere abbastanza forti da ignorare queste cose, Cahal. Non fanno parte della storia." Mentre parlava lo fissava negli occhi: "So cosa stai pensando, ma quel giorno a Derry c'ero anch'io. Ci hanno fatto mettere al riparo dietro un muro. Un vecchio è caduto a terra allo scoperto: nella corsa gli si era sfilata una scarpa ed è rimasta abbandonata lì, accanto a lui. La calza aveva un gran buco sul calcagno. Ci credi? E pensi che lo scriveranno sui libri di storia? L'ho sentito morire, Cahal, ho sentito il sangue che gli usciva dalle vene e si spargeva sulle pietre del selciato. Poi è arrivato un prete, sventolando un fazzoletto bianco, e gli ha dato l'Estrema Unzione". Skeffington continuava a fissarlo; rilassò il labbro inferiore, scoprendo i denti. Cal distolse lo sguardo, ma lo sentì dire: "Ed eravamo tutti irlandesi, nel nostro paese. Sono *loro* gli intrusi".

Cal cominciò a lavorare alla fattoria il lunedì mattina. Si sentiva imbarazzato per la sua ignoranza su quasi tutto quello che lo circondava. Sebbene avesse sempre vissuto in una cittadina di campagna, non aveva mai avuto niente a che fare con il lavoro che vi si svolgeva – a parte la settimana al mattatoio, dove era stato troppo occupato a cercare di non vomitare per imparare qualcosa. Per tutta la mattina si aggirò con le mani in tasca e i piedi intirizziti dietro a Dunlop che gli faceva vedere la fattoria. Dunlop conosceva tutto alla perfezione, ma era un cattivo insegnante. Gli impartì le istruzioni per pulire i filtri del latte a una velocità tale che Cal, intimidito, non osò interromperlo; così ora della fine non aveva la minima idea di come si facesse a smontarli, e tanto meno a rimetterli insieme. Sentì parole che non aveva mai sentito prima in vita sua: rumine, parassiti polmonari, enterite emorragica, verminosi epatica. Sapeva che Dunlop si stava dando delle arie, ma non aveva nulla con cui controbattere.

Trovò la puzza delle bestie vive molto più accettabile del tanfo che c'era al mattatoio, e dopo un po' imparò a farsela piacere. Il fiato degli animali sapeva vagamente di latte e l'odore di concime che li circondava non era fastidioso.

Più tardi nel corso della giornata Dunlop disse a Cal di pulire la lettiera nella stalla, e dato che era qualcosa che sapeva fare, Cal ci si mise di buona volontà. Mentre raschiava il pavimento e con la pala raccoglieva il letame fangoso gli venne in mente: "Per troppo tempo i cattolici dell'Ulster hanno dovuto far da spaccalegna e portatori d'acqua per la comunità". Padre Brolley predicava davanti a tutta la scuola riunita in cappella al tempo in cui si faceva un gran parlare di Movimento per i diritti civili. Cal non ricordava altro di quel sermone e non si sarebbe ricordato neanche quella frase, non fosse stato per come l'avevano storpiata: *spaccapalle e portatori d'acqua*. Ricordava invece la luce del sole che, filtrando dai vetri colorati delle finestre, posava a tratti una macchia purpurea sulla cotta bianca del prete che si dondolava avanti e indietro nel fervore della predica. Quando Dunlop entrò nella stalla, assunse un'aria sorpresa e seccata nel vedere che Cal non aveva ancora finito. Cal sapeva che il fattore lo stava mettendo alla prova – voleva assicurarsi che avesse capito chi comandava – e per difendersi rispose che era un lavoro duro.

Sembrava che Dunlop si divertisse un sacco quando lo sorprendeva a battere la fiacca. Un giorno di vento, tornando dal campo più a valle, Cal sentì il bisogno di fumarsi una sigaretta in pace. Disposto parallelamente alla fattoria, poco distante dal vialetto, c'era un cottage abbandonato. Cal si fermò e si accese una sigaretta al riparo della cadente veranda. Rimase lì a fumare, godendosi la sigaretta nonostante le mani fredde. Il vento sferzava i vetri, ma non riusciva a penetrarli anche se gran parte dello stucco era caduto via in pezzetti rinsecchiti. Cal guardò dentro attraverso la feritoria della posta sulla porta e nella penombra vide un pavimento coperto di linoleum e un corridoio con un armadietto. La porta era chiusa con un pesante lucchetto e lui non provò nemmeno a forzarlo. Proprio in quel momento da dietro l'angolo spuntò Dunlop.

"Mc Crystal!" gridò. "Che cavolo ci fai lì?"

Cal si girò.

"Guardo." Lasciò cadere la sigaretta e la spense schiacciandola sotto la suola dello stivale.

"Sono qui che ti aspetto. Ti avevo mandato a *quel* campo laggiù," disse indicandolo, "non a un podere a trenta chilometri da qui." L'espressione del fattore era adirata, ma Cal si accorse che era compiaciuto di averlo sorpreso a fumare di nascosto.

Per tutta la settimana Dunlop gli diede un passaggio mattina e sera, dalla città alla fattoria e viceversa. Più di una volta Cal vide passare in direzione opposta l'Anglia gialla e la seguì con gli occhi. Di giorno gli capitava di trovare la bambina di Marcella che giocava nel giardino sul retro della casa o di sentirla chiacchierare in un'altra stanza mentre lui, in piedi in cucina, beveva una tazza di tè. Risentì anche, perso nella casa, quel gorgoglio di tosse che prendeva allo stomaco.

Di mattina Dunlop parlava poco o niente e di sera, constatò Cal, sceglieva argomenti che non c'entrassero né con la religione né con la politica. Erano cortesemente diffidenti l'uno nei confronti dell'altro, finché un pomeriggio Dunlop disse:

"Sei stato fortunato ad avere il posto, ragazzo." Cal annuì. "Non fraintendermi, ma tu sei soltanto il secondo dei tuoi che assumono."

"Dei miei?"

"Sai cosa intendo. Io non ho niente contro i cattolici: è il cattolicesimo che non mi piace. Ho messo una buona parola per te quando la vecchia Morton mi ha chiesto come andavi... l'ho fatto per tuo padre. Shamie è un brav'uomo."

"Grazie," disse Cal. "Chi era l'altro cattolico?"

"Un furfante di uno! Nessuno ha saputo che era cattolico finché se ne è andato. Si chiamava John Harnett e dal nome non si poteva certo capire. È stato molto prima che cominciassero i disordini... molto prima che si sentisse parlare del vostro cosiddetto Movimento per i diritti civili. Ma quello era un vero sfaccendato e quando ha cominciato ad arrivare al mattino puzzando di alcol, gli ho fatto dare il benservito da Mr Morton."

"Come avete scoperto che era un cattolico?"

"Si è tradito il giorno che, tirando fuori il fazzoletto, gli è caduto per terra il rosario."

"Quindi lo sapevate quando l'avete licenziato..."

"Probabilmente sì. Ma era un perdigiorno di prima categoria."

"Perché allora Mrs Morton mi ha assunto?"

"Non ne ho idea... soprattutto dopo quello che è successo. C'era da immaginarsi che non ne avrebbe più voluto sapere per il resto dei suoi giorni. Ma quella donna è un elemento!"

Ferma sul ciglio della strada c'era una macchina della polizia e un agente con indosso un giubbotto antiproiettile fece loro segno di accostare. Un altro poliziotto, dietro la macchina, teneva appoggiato sull'anca uno Sten. Cal accavallò le gambe e si lasciò impercettibilmente sprofondare nel sedile mentre Dunlop rallentava e nello stesso tempo abbassava il finestrino. Quando arrivarono di fianco al poliziotto, questi si chinò a guardar dentro.

"Ah, sei tu Cyril," disse. "Non avevo riconosciuto la macchina."

"Salve Bill."

"Vai pure, Cyril."

Diede un colpetto con la mano aperta sul tetto dell'auto che non si era nemmeno fermata completamente.

Ogni volta che incrociavano l'Anglia gialla lungo la strada, la frustrazione di Cal cresceva. Aveva accettato il posto e sperato... in cosa non lo sapeva. Ma senza un lavoro avrebbe potuto andare alla biblioteca e guardarla, magari anche parlarle quando non c'era coda; ora invece doveva accontentarsi di coglierla di sfuggita, mentre passava in macchina con gli occhi fissi sulla riga bianca.

La domenica prese in prestito il furgone e andò alla Messa delle dieci e mezzo a Magherafelt. Disse a Shamie che gli piaceva il modo in cui il sacerdote predicava, ma quando suo padre gli chiese chi fosse dovette ammettere che non lo sapeva. Marcella non c'era e Cal tornò a casa sotto la pioggia per passare la giornata in camera sua a leggere una copia umida del *Sunday Independent*.

Il giovedì la biblioteca restava aperta più a lungo, fino alle sette e mezzo. Cal si fece la barba, si lavò e uscì subito dopo cena, sapendo che c'era una possibilità su tre che lei fosse di turno. Era una serata buia e fredda e il vento gli buttava i capelli in faccia. La finestra della biblioteca era l'unica con la luce accesa in una fila di scure vetrine di negozi. Mentre si avvicinava, Cal la vide e provò un impeto di gioia; si fermò fuori e la guardò muoversi nella stanza illuminata. Marcella uscì da dietro il bancone per rimettere a posto una pigna di libri negli scaffali. Camminava con grazia.

All'interno faceva caldo e Cal si slacciò la giacca a vento. Si avvicinò alle riviste accanto al bancone e prese una copia di *Punch*.

Un paio di donne curiosavano tra i libri, un vecchio tossì. Cal si sedette su una sedia di plastica e cominciò a sfogliare il giornale senza leggerlo. Mentre si sistemava sulla sedia nel silenzio generale, i pantaloni sfregarono contro la plastica e produssero un rumore corporale; Cal si mosse ancora un po' nel caso il suono fosse stato frainteso. Il pavimento era coperto da grandi quadrati di moquette verde e accanto ai piedi di Cal c'era un grigio medaglione di gomma da masticare ancora fresca. Da dietro gli scaffali vide Marcella che si avvicinava, quantomeno vide le sue gambe. Si infilò nella nicchia tappezzata di mensole accanto a lui e Cal le guardò le caviglie: portava i soliti zoccoli del Dr. Scholl. Si alzò sulle punte per raggiungere uno scaffale in alto e lui scorse l'arco della pianta dei piedi coperti dalle calze scure. Marcella uscì da dietro l'angolo e andò verso di lui.

"Salve." Vedendolo sorrise, e Cal si sentì sciogliere le budella.

"Salve." Si alzò; la rivista gli penzolava dalla mano.

Lei aveva messo a posto tutti i libri tranne uno, che teneva appoggiato al petto. Si girò di lato, passando in rassegna gli scaffali. Il profilo del suo seno era diventato un altopiano sul cui orlo stava il libro. Cal avrebbe voluto chiudere gli occhi, farne un'istantanea come aveva fatto con le due donne stese a faccia in giù sul pavimento della rivendita di alcolici. Marcella infilò il libro al suo posto e, incrociando le braccia ormai vuote, si voltò verso di lui.

"Allora, come vanno le cose?"

"Bene," rispose Cal. Sentì che stava cominciando ad arrossire e vi si oppose inutilmente. Il rossore gli invase il volto e il collo, e le orecchie gli andarono in fiamme. Gesù, diventare di quel colore a vent'anni quasi compiuti! Perdere così il controllo! Non gli succedeva da secoli. Abbassò gli occhi nella speranza di nascondere il peggio dietro una tenda di capelli.

"Cosa sta leggendo?"

Lo sguardo annebbiato di Cal si posò sulla rivista.

"*Punch*. Ho un lavoro."

"L'ho saputo. Mia suocera me l'ha detto."

"Ogni tanto, durante il giorno, vedo sua figlia."

Marcella sorrise e strinse un po' di più le braccia conserte. Portava un medaglione sopra una sottile polo nera.

"È adorabile."

Annuì, concordando con lui senza la minima punta di orgoglio. L'imbarazzo di Cal cresceva con il procedere della conversazione. Marcella parlava con un tono di voce normale e nel silenzio tutti potevano sentire quello che diceva. Quando toccava a lui, Cal rispondeva in un sussurro ma nello stesso tempo, dato che Marcella invece parlava a voce alta, aveva l'impressione di dover tenere lo stesso volume.

"Sì, è una delle cose che mi mancano di più lavorando... non poter stare a casa con lei. Soprattutto il giovedì: quando torno, dorme già."

"Può sempre entrare nella stanza e andare a guardarla nel suo lettino... come nei film di Hollywood."

Marcella rise e cominciò a sistemare le riviste in mostra sul ripiano.

"Prende in prestito solo cassette?" chiese.

"Sì. Non leggo molto."

Girandosi lo obbligò a spostarsi verso il muro e, con gran sollievo di Cal, abbassò la voce.

"Sa, incoraggiare il pubblico a leggere fa parte del nostro lavoro."

Si mise le mani sui fianchi, un po' come una maestra, e con un passo indietro stava per calpestare la gomma da masticare quando Cal la prese per il gomito, facendola spostare di lato. Le mostrò il pericolo e lei lo ringraziò. Quel giorno avevano avuto una scolaresca, spiegò. Cal provava ancora sulla punta delle dita la sensazione del contatto.

"Che genere di cose le interessano?"

Cal si strinse nelle spalle. "Non so. Forse... un sacco di cose."

"I romanzi li legge?"

Lui ci pensò su. A scuola avevano letto un libro intitolato *Sotto l'albero del verde bosco*

"No," rispose.

"Magari fossi così anch'io. Vorrebbe dire poter ricominciare da capo, e tutto mi sembrerebbe nuovo."

Cal si chiese se lo stesse prendendo in giro. Si sentiva a disagio. Rimise a posto la copia di *Punch* e si spostò di lato.

"Darò un'occhiata," disse. "Forse ci riprovo. È stata la scuola a scoraggiarmi."

Marcella lo considerò un modo per concludere la conversazione e con un sorriso si ritirò a sedersi dietro il bancone. Cal si incamminò tra gli scaffali. Sbirciando tra i ripiani all'estremità della sezione di storia irlandese riusciva a vederla e al contempo a restare nascosto, a parte gli occhi.

Rimase lì a guardarla mentre timbrava i libri presi a prestito da una delle signore. I movimenti rapidi, la pulizia dei suoi gesti, il viso alzato con il sorriso aperto a operazione conclusa gli facevano venir meno le forze. Avrebbe voluto sdraiarsi lì al caldo, tra i libri, e non rialzarsi finché fosse arrivata lei, con le sue mani dalle unghie dipinte di smalto chiaro, a risvegliarlo alla vita. Il bancone era aperto sul davanti e quando la donna se ne fu andata, Marcella accavallò le gambe. Lo zoccolo le pendeva dal piede destro inclinato. Alzò gli occhi e Cal ebbe l'impressione che i loro sguardi si incrociassero, così si spostò e si nascose immergendosi un po' di più tra gli scaffali.

Toccò la costa di alcuni libri e arrivò persino a tirarne fuori uno e a sfogliarlo. Sir Edward Carson, Sir James Craig e il reverendo Ian Paisley lo guardavano tutti dalla stessa pagina. Quanto a bruttezza era difficile superarli: tre facce ottuse da arieti, che la lotta politica aveva reso simili a vecchi pugili. C'era anche una fotografia di Padric Pearse di profilo. Aveva sentito dire che Pearse non guardava mai dritto nell'obiettivo perché era orribilmente strabico. Sulla pagina di fronte lesse una sua citazione sul cuore dell'Irlanda rifocillato dal vino rosso dei campi di battaglia, un'Irlanda che aveva bisogno del suo sacrificio di sangue. Richiuse il volume e lo fece scivolare al suo posto tra gli altri. Una sirena lanciata a tutta velocità ululò il proprio percorso per le vie della città. Un vecchio alzò lo sguardo, poi tornò a chinarsi su quello che stava leggendo.

Cal passò alla sezione narrativa: probabilmente le avrebbe fatto piacere vederlo prendere in prestito un romanzo. Piegando la testa di lato, in modo da far pendere perpendicolarmente la tenda di capelli, lesse i titoli sul dorso dei libri. Si fermò su *Donne innamorate* ma pensò che fosse un titolo troppo esplicito per passarle inosservato. Infine scelse un grande libro rosso, perché lo aveva sentito nominare e qualcuno ne aveva parlato come di un'opera altamente intellettuale. Ne aveva anche visti due episodi alla televisione. Aspettò che non ci fosse nessuno al banco, poi si avvicinò con il volume; aveva un peso solenne. Marcella lo timbrò e disse:

"Tornerà domani a prendere la seconda parte".

Cal rise e rispose che sarebbe sicuramente andata così. Il vecchio si avvicinò alle sue spalle con una pigna di libri da prendere in prestito.

"L'ha visto quando l'hanno fatto alla tele?" le chiese Cal.

No, non l'aveva visto. Ma l'aveva letto e lo trovava stupendo.

"Non si lasci scoraggiare dai nomi," gli raccomandò. Cal guardò le sue dita far scorrere velocemente le schede finché rallentarono, procedendo al passo. Tirò fuori la sua.

"Cal Mc Crystal," disse, e sebbene Cal odiasse il proprio nome trovò che pronunciato da lei suonava armonioso e bello.

Uscì per strada e rimase per un po' al buio a osservarla dalla finestra, poi si incamminò verso casa. Il libro che teneva sotto il braccio aveva le dimensioni di un cestino del pranzo. Forse l'avrebbe cominciato quella sera stessa. Sarebbe stato grandioso poter entrare in biblioteca la settimana dopo e dire con nonchalance: "Mi è piaciuto molto. Molto intellettuale". E lei l'avrebbe chiamato "Cal Mc Crystal".

Era già arrivato in fondo alla Main Street quando ebbe la sensazione che ci fosse qualcosa che non andava. Una strana luce illuminava i tetti delle case dell'isolato, ma al primo momento Cal pensò che fossero i lampioni. Poi notò che quel bagliore era gonfio di fumo. Quando infine scorse il pulsare azzurro di un lampeggiatore cominciò a correre. La via era piena di gente e parcheggiati sul marciapiede c'erano una macchina della polizia e il camion dei pompieri. Sapeva che si trattava di casa sua e lottò per aprirsi un varco tra la folla. Le fiamme prorompevano dalla finestra del soggiorno, mentre i vetri si crepavano con un rumore sordo prima di andare fragorosamente in frantumi per il calore. Dalla cabina del camion dei pompieri un altoparlante proiettava sopra il frastuono una voce gracchiante. Con voce concitata Cal chiese a uno dei vigili del fuoco:

"Mio padre è ancora lì dentro?" La domanda era quasi un urlo.

Il pompiere era impegnato a lottare con l'idrante e Cal non riuscì a distinguere la risposta. Si avvicinò il più possibile alla casa, finché si sentì bruciare la pelle della faccia e dovette girare la testa. I vigili del fuoco sparavano una colonna bianca d'acqua attraverso la finestra del soggiorno, ma sembrava non servisse a niente. Si continuavano a sentire schianti e piccole esplosioni, e ad un tratto Cal scorse le prime fiamme guizzanti al piano di sopra.

Tornò a mescolarsi alla folla per cercare di scoprire se qualcuno sapeva qualcosa di suo padre. Allora lo vide: avevano appoggiato una sedia sul marciapiede e Shamie stava lì seduto, con la testa tra le mani, e piangeva. Era in maniche di camicia. Appena sentì la voce di Cal sollevò lo sguardo ed esclamò: "Dio sia ringraziato! Dio sia ringraziato!" Poi si alzò e gli strinse la mano, un gesto che Cal trovò assolutamente stupido.

"Non sapevo se eri nella tua stanza," spiegò Shamie. Tenne a lungo la mano del figlio tra le sue e Cal sentì che stava tremando. Poi se lo tirò vicino e per un terribile istante lui pensò che volesse baciarlo lì davanti a tutti, invece gli sussurrò nell'orecchio:

"La pistola! Quando sarà tutto finito la troveranno".

"Mettiti seduto e non ti preoccupare."

Una vicina portò un cappotto e lo fece infilare a Shamie, dicendo:

"Certe cose mi fanno vergognare di essere protestante". Piangeva anche lei.

"L'importante è che Cal sia salvo," rispose Shamie. "Credevo che tu fossi di sopra, chiuso dentro a chiave. Non mi ricordavo di averti sentito uscire."

Cal accese una sigaretta e la porse al padre. Scosso dai brividi, Shamie inalò il fumo. In mezzo alla folla, dall'altra parte della strada, una voce ringhiò: "Feniani bastardi!" L'altoparlante gracchiò parole che nessuno capì. Un poliziotto con un giubbotto antiproiettile si fece strada verso la sedia su cui era seduto Shamie e accovacciandosi accanto a lui cominciò a fargli domande.

Shamie aveva ancora indosso il cappotto che gli avevano prestato ed era in stato di shock quando Cal lo fece entrare nella piccola cucina di Dermot Ryan. Dermot, un loro cugino, abitava in un bungalow per pensionati ad Ardview e sebbene quasi tutti quelli che avevano parlato con Shamie gli avessero offerto un letto, lui aveva insistito che voleva andare lì per tenere i guai in famiglia. Quando aveva sentito dell'incendio il vecchio Dermot aveva dovuto prendere due pastiglie in più per la pressione.

Ora, lontani dalla confusione della strada, bevevano una tazza di tè mentre Shamie raccontava loro quello che ricordava. Dovevano aver buttato dentro la bomba molotov (se si trattava di una bomba molotov; per quanto ne sapeva lui potevano anche aver versato il petrolio dalla buca delle lettere e poi avergli dato fuoco) dalla porta principale. Come al solito lui si era addormentato in poltrona e non aveva sentito niente. Il primo segnale d'allarme era stata la puzza: si era svegliato che riusciva a malapena a vederci nella stanza. Quando aveva aperto la porta, nel corridoio e per le scale divampava l'inferno. Era corso fuori dalla porta sul retro e aveva cominciato a gridare verso la finestra di Cal, ma nessuno rispondeva.

L'emozione era troppa per Dermot Ryan che si alzò strascicando i piedi e andò in bagno. Shamie ne approfittò per sussurrare a Cal:

"Me lo aspettavo e così avevo tirato fuori la pistola. È sul comodino."

"Gesù!"

"Perquisiranno la casa?"

"Se non l'hanno già fatto..."

Cal tornò indietro immediatamente, facendo la strada di corsa. Ormai la folla si era dispersa e la casa era avvolta nel buio. Alla luce dei lampioni distinse intorno alle finestre dei segni neri bruciacchiati a forma di mezzaluna, come una specie di ombretto. I vigili del fuoco erano ancora lì, nel caso si riaccendesse qualche focolaio. Avevano buttato giù la porta principale e si aggiravano calpestando macerie e vetri infranti. Cal spiegò chi era e che voleva salire in camera da letto. Loro gli fecero notare che la scala era crollata, ma Cal insistette a dire che suo padre aveva bisogno delle medicine per la pressione, altrimenti sarebbe stato molto male. I pompieri si strinsero nelle spalle e ribadirono che se saliva lo faceva a suo rischio e pericolo: non potevano impedirgli di accedere alla sua proprietà, ma al momento non avevano ancora controllato l'agibilità del piano superiore. Cal prese in prestito una torcia e usò la scaletta che Shamie teneva sul retro per pulire i vetri. Le finestre erano tutte rotte, ed entrando nella sua stanza Cal mise i piedi su una grande lastra di vetro che si spezzò con un rumore dall'eco strana. C'era una puzza terribile. Esplorò la stanza con il fascio di luce: le fiamme non erano arrivate fin lì, ma era tutto annerito. Le sue cassette erano ridotte a masse deformi e il lampadario di plastica pendeva dal soffitto come una stalattite. Dovette aprire a calci la porta della stanza di Shamie e il pavimento gemette e scricchiolò sotto il suo peso. La pistola era appoggiata sul comodino; se la mise in tasca, facendo ben attenzione che ci fosse la sicura.

Tornato nella sua camera si fermò a cercare con la torcia la chitarra. Le chiavi per accordarla si erano fuse. Sollevò lo strumento e il dietro della cassa si staccò dal resto con un tenue accordo stridulo, come la suola di una scarpa che si stacca dalla tomaia.

"Oddio, no!"

Buttò a terra la chitarra, che fece riecheggiare in mezzo al tonfo sordo il suo accordo leggero, e si calò dalla finestra.

Arrivò a casa di Dermot Ryan senza fiato. Shamie gli lanciò uno sguardo ansioso e Cal gli fece l'occhiolino per assicurargli che era tutto sistemato. In sua assenza avevano preparato la sistemazione per la notte: Dermot sarebbe rimasto a dormire nel suo letto, Shamie avrebbe usato il divano, mentre a Cal restava il pavimento; gli avevano appoggiato sul mobile un cuscino e delle coperte. Bevvero un'altra tazza di tè e poi Dermot disse che se non andava a dormire, il giorno dopo la pressione gliel'avrebbe fatta pagare, così diede la buonanotte e uscì dalla stanza. Cal tirò fuori la pistola di tasca e con un sibilo richiamò l'attenzione di Shamie.

"Adesso che la casa è andata, di questa non abbiamo più bisogno."

Suo padre annuì.

"Ci penso io a sbarazzarcene." Cal cominciò ad avvolgerla in un sacchetto di carta marrone, ma si immobilizzò quando nella stanza riapparve Dermot con un pigiama a strisce su cui portava un pullover con una greca colorata. Non si era ancora tolto il berretto.

"L'orologio," disse. "Buonanotte."

Quando se ne fu andato, Cal si fece scivolare la pistola nella tasca della giacca. Poi si preparò il letto sul pavimento, mentre Shamie si sdraiava sul divano.

"Eravamo assicurati?" chiese.

"Ho smesso di pagare da anni. Da quando è morta tua madre."

Cal si tolse la camicia e si infilò nel sacco che si era fatto con le coperte.

"Splendido!"

"A mandare avanti la casa sono un disastro."

"Forse lo stato ci verserà un risarcimento," disse Cal. "Non è stato un incidente."

"Domani vado a sentire."

Si sdraiarono e si accesero una sigaretta. Per la prima volta dopo anni Cal si sentiva al sicuro. Nessuno sapeva che era lì, in quella casa per pensionati. Era sicuro che sarebbe riuscito a dormire... se solo avesse potuto sfuggire anche a se stesso. Ecco cos'era il sonno, pensò; ma anche il sonno poteva essere rovinato dai sogni. Attraverso il cuscino cominciò a sentire sul collo il calore del fuoco che ardeva nel camino, così si spostò un po' verso il divano. La porta si aprì nuovamente e sulla soglia comparve Dermot. Portava ancora il berretto.

"Scusate," disse. "Le pillole." Passò in fretta in cucina e tornò con un bicchiere d'acqua. "Buonanotte."

"Dermot," lo chiamò Shamie. "Grazie di tutto."

"Nei vecchi si trova la sapienza", citò lui, e uscì chiudendosi piano la porta alle spalle.

"Quando Dermot va a dormire non è proprio il momento di fare niente di segreto," commentò Cal. "Fa avanti e indietro come un cucù. Chi spegne la luce?"

Padre e figlio discussero per un po' su chi dovesse alzarsi. Alla fine toccò a Shamie, che aveva il privilegio del divano. Nel buio restava il bagliore del camino. Cal vi buttò dentro la cicca della sigaretta. Amava dormire in una stanza con il camino. Una volta si era ammalato, quando abitavano ancora nella loro prima casa in Clanchatten Street, e i suoi genitori gli aveva portato giù il letto e lo avevano messo vicino alla stufa economica. Di sera in genere lasciavano aperto lo sportello per tener calda la stanza e lui stava lì sdraiato ad ascoltare la voce di sua madre che chiacchierava con una vicina o con suo padre, mentre sulla faccia sentiva il calore del fuoco. Le voci si facevano indistinte, mescolandosi all'acciottolio delle tazze o al cigolio di una sedia, e lui rimaneva a lungo sospeso, a metà tra il sonno e la veglia... ad ascoltare non quello che dicevano ma il suono avvolgente delle loro parole.

Shamie si tirò a sedere sul divano.

"Cal?"

"Sì?"

"Mi sono dimenticato di dirti che Crilly vuole vederti."

"Quando?"

"Sabato a pranzo."

"O.K."

Cal incrociò le mani dietro la testa. Più stava sdraiato, più gli sembrava che il pavimento diventasse duro. Pensò a Matt Talbot, a tutti i santi che dormivano sulla nuda terra.

"Non posso restare qui," disse. "Non c'è spazio."

"E dove andrai?"

A un tratto gli venne in mente un posto. Forse trasferendosi lì avrebbe risolto un sacco di problemi.

"Hai parlato con nessuno del mio lavoro?"

"Certo che ne ho parlato."

"Lo hai detto anche a Crilly?"

"No, ci siamo fermati a chiacchierare solo una volta questa settimana."

Nel buio Cal sfregò un fiammifero contro la scatola e accese un'altra sigaretta. Shamie la rifiutò; alla luce della fiamma il suo viso sembrava quello di un vecchio.

"Fammi un favore, Shamie..."

"Cosa?"

"Non dirglielo. Dì che dopo l'incendio me ne sono andato e non sai dove."

"Perché?"

"È un favore, non mi chiedere perché. Se qualcuno mi cerca, dì solo che me ne sono andato. Dì che sono andato in Inghilterra se vuoi. Ma che non sai esattamente dove."

Ci fu un lungo silenzio. Il mucchietto di braci nel camino si scompose con un crepitio. La voce di Shamie era spaventata.

"Sei nei guai?"

"No, niente del genere."

"Quel maledetto Crilly. Non mi è mai piaciuto."

"Mi farai questo favore?"

"Se è quello che vuoi. Ma dove andrai?"

Cal inalò il fumo e lo buttò fuori senza vederlo.

"È meglio che tu non lo sappia," rispose. "Verrò a trovarti qui."

Sentì suo padre girarsi in cerca di una posizione comoda.

"Cal... se fossi nei guai me lo diresti, vero?"

"Sì."

"È un sì che non mi piace."

"Un giorno ti racconterò tutto. O.K.?"

"O.K."

Dopo un po' il respiro di Shamie si fece più pesante e regolare. Per calmarlo Cal gli aveva fatto prendere due dei tranquillanti di Dermot. Pensò a Marcella e cercò di ritrovare l'istantanea del libro appoggiato sull'orlo del suo seno. Poi si chiese dove avesse lasciato in tutta quella confusione il volume che aveva preso alla biblioteca, quello grande come un cestino del pranzo.

Il mattino seguente Cal, svuotato più che riposato da una notte di sonno leggero, aspettava Cyril Dunlop al solito angolo. Non gli piaceva quell'abitudine di trovarsi sempre nello stesso posto alla stessa ora. Ogni giorno sparavano ai cattolici, li uccidevano senza ragione apparente, come diceva la polizia. Possibile che fossero *così* stupidi? Non era il pensiero di morire che lo spaventava, era la paura di perdere la dignità sotto tortura. C'era chi era stato castrato prima di venir ucciso... a un tipo avevano infilato la testa tra le ganasce di una morsa e poi le avevano strette fino a spaccargli il cranio; e un macellaio cattolico era stato assassinato e appeso a un gancio nel suo negozio, come un quarto di bue. Erano le azioni di uomini dalla mente malata.

Si guardava incessantemente in giro, tenendo d'occhio la strada in entrambe le direzioni e aspettandosi da un momento all'altro di veder sbucare due figure su una motocicletta. Avrebbero rallentato fino ad arrivargli di fianco, dopodiché quello sul sellino posteriore gli avrebbe puntato contro un'arma e lui sarebbe morto. Una volta, in quella prima settimana, alla vista di una moto con a bordo due persone si era tirato contro il muro, ma la motocicletta gli era passata davanti rombando. Se fosse successo quella mattina, avrebbe saputo come reagire. Si vide infilare una mano nella tasca interna, tirar fuori il sacchetto di carta, aprirlo, estrarne la pistola, togliere la sicura, mirare: e infine sparare. Sorrise. Bastava che i suoi assassini avessero qualcosa di più di un motorino e nel frattempo sarebbero stati a Belfast davanti a una tazza di tè. Se ti volevano beccare, ti beccavano; avere una pistola non serviva a niente.

La macchina di Dunlop accostò al marciapiede e Cal salì.

"Oggi non mi aspettavo di vederti," disse Cyril.

"Così l'ha saputo?"

"Ne parlano tutti in città. Cosa è successo? È stato un incidente?"

A quella domanda Cal scoppiò a ridere.

"Ci hanno bruciato la casa per cacciarci via."

Cyril scosse la testa incredulo e increspò le labbra.

"Devo ammettere, Cal, che i bastardi ci sono da tutte e due le parti."

"Grazie."

Cal sentiva il duro della pistola premergli sulla sinistra del torace. Se i poliziotti li avessero fermati e perquisiti quella mattina, cosa avrebbero concluso? Un fedele orangista e un repubblicano armato sulla stessa macchina. Poi ricordò con sollievo che non fermavano mai Cyril Dunlop; appena lo riconoscevano gli facevano segno di passare. Buffo, pensò Cal, che i protestanti venissero definiti "fedeli" e i cattolici "ferventi".

Passò tutto il giorno a pulire la stalla e a riempire le mangiatoie di foraggio. Ora che le bestie stavano la maggior parte del tempo al chiuso, gli aveva spiegato Dunlop, bisognava farlo quotidianamente. Cal lavorava da solo e i rumori emessi dagli animali erano confortanti per lui. Tiravano su col naso, respiravano, ruminavano e arrotavano i denti; di tanto in tanto uno muggiva, senza ragione. Cal si chiese perché si insegnasse ai bambini che le mucche facevano 'muu'. Era il verso meno adatto a descrivere quella specie di lamento nasale che emettevano. Avevano le ciglia così bianche, e gli occhi con cui lo guardavano quando si avvicinava erano così grandi. Cal parlava con le bestie mentre si affaccendava tra i piedi ferrati che scivolavano sul pavimento. La pulizia delle lettiere era un lavoro meccanico e gli lasciava troppo tempo per pensare. Chissà se nella sua stanza era rimasto qualcosa da recuperare: di sicuro la chitarra era andata... e anche tutte le sue cassette, ma forse il registratore funzionava ancora. Si sentì addolorato per Shamie... perdere tutte le cose che aveva accumulato in una vita. Per lui invece poteva essere un modo di ricominciare da capo. Come quando si brucia una ferita per cauterizzarla.

Durante la pausa per il pranzo, fece una passeggiata fino al cottage abbandonato. Si guardò in giro per assicurarsi che non ci fosse nessuno ed entrò nella veranda. Si era portato dietro una piccola spranga di ferro, ma non ebbe bisogno di usarla perché al primo strattone il lucchetto si aprì. Fece scorrere il chiavistello e scivolò in fretta all'interno. La stanza sulla destra era ingombra di una catasta di mobili lasciati lì a marcire, con gambe di sedie che spuntavano da tutte le parti. In un angolo erano impignate delle tolle di pittura e pennelli intinti in colori diversi erano stati puliti sulla parete. Appoggiata sulla mensola accanto alla porta c'era una bottiglia di solvente violetto con un'etichetta che diceva: "Non ingerire"; qualcuno ci aveva aggiunto a penna: "non fa digerire". La stanza sulla sinistra era vuota, ma il pavimento era coperto di linoleum. La finestra aveva due vetri rotti e al loro posto era stato inchiodato agli infissi un quadrato di cartone. Cal sollevò il linoleum in un angolo e con il piede di porco staccò una tavola dal pavimento. I chiodi diedero un secco scricchiolio mentre lui spingeva con tutto il suo peso. Datemi un punto d'appoggio e vi solleverò il mondo. Infilò sotto il pavimento il sacchetto di carta con dentro la pistola e, rimessa a posto l'asse, vi saltò sopra per pareggiarla alle altre.

Quel pomeriggio disse a Dunlop che non aveva più bisogno dei suoi passaggi; un amico sarebbe venuto a prenderlo e poteva accompagnarlo anche al mattino. Dunlop scrollò le spalle. Il fatto che Cal non dipendesse più da lui sembrò contrariarlo.

"O.K., come preferisci..." commentò.

Alle sei la sua macchina passò davanti a Cal, al riparo dal vento e dalla pioggia sotto la tettoia.

"È sempre in ritardo!" disse Cal.

Dopo che la vettura ebbe svoltato sulla strada principale, Cal si incamminò sul vialetto. A un paio di chilometri di distanza sulla strada per Toome c'era un pub, lo Stray Inn, e Cal si diresse lì per aspettare che facesse buio. Si sedette al caldo a sorseggiare una birra e non parlò con nessuno. Quando vide i lampioni accendersi nel parcheggio uscì per tornare alla fattoria dei Morton. Arrivò al cottage, aprì la porta ed entrò. Avanzava lentamente nell'oscurità più assoluta, muovendo le braccia davanti a sé come antenne. Individuò il mobiletto nell'ingresso, entrò nella stanza vuota e si accoccolò sul pavimento. "Ho occupato una casa," pensò e sorrise nel buio. Era una mossa tutt'altro che ben preparata: avrebbe dovuto procurarsi una torcia elettrica e qualcosa su cui dormire, ma ci avrebbe pensato l'indomani. Mentre era in cucina per il tè del pomeriggio, aveva rubato da un cestino un paio di panini; ce n'era una pigna, nessuno si sarebbe accorto che mancavano. La tasca della giacca pendeva per il peso di una lattina di birra – l'ultima di sei che si era comprato quel martedì. L'aprì e la birra schizzò fuori nel buio con un sibilo. Appoggiò la bocca sulla schiuma perché smettesse di strabordare. Mangiò i panini lentamente, per farli durare il più possibile e lasciò un po' di birra per più tardi. I suoi occhi cominciavano ad abituarsi all'oscurità e quando accese un fiammifero per fumare una sigaretta, per un istante la fiammella illuminò la stanza come alla luce del giorno. Fumò passeggiando su e giù, calpestando i frammenti di vetro.

Dalla finestra sul retro si vedeva la fattoria dei Morton ed essendo abbastanza vicino al vialetto, sentì il rumore dell'Anglia che passava. Guardò fuori, ma colse per un istante solo la figura di Marcella che entrava in casa, incorniciata dal rettangolo di luce della porta aperta. Cal appoggiò la fronte contro il vetro. Nell'oscurità totale riusciva a vedere anche le più piccole variazioni di luce e si accorse immediatamente della lampada che si era accesa al piano di sopra. Alzò lo sguardo: Marcella andò alla finestra e con un gesto sacerdotale chiuse le pesanti tende. Almeno ora sapeva qual era la sua camera.

Si immaginò di essere un servitore alloggiato nella casupola all'entrata dei possedimenti della sua padrona. Se la chitarra fosse stata ancora intera, avrebbe potuto andare sotto la sua finestra a farle la serenata. Di nuovo sorrise amaramente nel buio. Poi a poco a poco, mentre la sera si trascinava lenta minuto dopo minuto, cominciò a sentirsi depresso. Si paragonò a un monaco chiuso nella sua cella, privato non solo della luce e di ogni comodità, ma – dato l'umore in cui era – privato addirittura di Dio. Aveva smesso di credere nella sola cosa che dava dignità alla sua sofferenza. Matt Talbot viveva con le catene che gli affondavano nelle carni per amore di Dio: come si sarebbe sentito se non avesse creduto in Dio eppure avesse continuato a soffrire? Come si sarebbe sentito se avesse sofferto per un'altra persona? Una sofferenza votata a qualcosa che non esisteva, ecco cos'era l'Irlanda. La gente moriva ogni giorno, uomini e donne restavano invalidi, ridotti a vegetali in nome dell'Irlanda. Un'Irlanda che non era mai esistita, né sarebbe esistita mai. Eroica era la gente dell'Ulster, schiacciata tra le fauci di due opposti ideali che cercavano di stritolarsi a vicenda fino a distruggersi.

Il peccato che aveva commesso lo lacerava, esigeva la sua attenzione. Cal resistette finché vi riuscì, ma a parte il freddo c'era ben poco lì con cui distrarsi. I suoi occhi, che non avevano altro da osservare nel buio pesto, rivolsero il loro sguardo dentro di lui. Stanco di fare su e giù, Cal si sdraiò a terra, con le ginocchia rannicchiate contro il petto per tenersi caldo. Giaceva immobile sui vetri rotti, con gli occhi aperti nella notte, e di nuovo rivide la mostruosità che aveva compiuto.

Era trascorso quasi un anno dalla sera in cui era passato a prendere Crilly con il furgone. Gli pesava addosso un senso di nausea perché quando lo aveva incontrato per strada nel pomeriggio Crilly gli aveva detto che quello sarebbe stato il colpo grosso. Erano andati alla discoteca organizzata al circolo ricreativo. Il gruppo che doveva suonare stava accordando gli strumenti e due o tre ragazze, imbarazzate per essere arrivate in anticipo, si tenevano nella penombra dell'atrio. La sala era talmente vuota che Cal riusciva a distinguere il rumore delle porte che si aprivano e si chiudevano.

Dopo una puntata al bar si erano ritirati in un angolo con i loro bicchieri.

"Be', quale sarebbe il colpo grosso?"

"Un poliziotto... uno della Riserva."

"E allora?"

"Allora ce lo facciamo... eccolo il colpo grosso."

I muscoli dello stomaco di Cal si erano irrigiditi e i palmi gli si erano coperti di sudore. Aveva sfregato lentamente le mani una contro l'altra.

"Qui?"

"No. Siamo venuti a farci vedere. Andiamo e poi torniamo."

"Ho capito."

"'Dove eravate ieri sera?' Risposta: 'A ballare.' Sistemati!"

Cal aveva pagato un altro giro.

"Non ti preoccupare, Cal: è uno sporco bastardo. Skeffington dice che dobbiamo prendere di mira la Riserva e l'Udr, e forse la smetteranno di arruolarsi. Così ha scelto questo qui, un vero stronzo. Abita fuori Margherafelt. E stasera ce lo facciamo!" Cal non aveva risposto. Aveva passato un dito sull'esterno del bicchiere per pulire il vetro appannato. "Un mesetto fa ha nascosto una pistola addosso a due ragazzi che non c'entravano niente," aveva continuato Crilly. "E adesso sono dentro, nella prigione di Crumlin Road. Non finisce qui: dopo tutte quelle che avevano preso, li ha fatti pestare anche dai suoi compagni e ha dichiarato che si erano opposti all'arresto. E li conosceva, erano due cattolici di qui... il fottutissimo stronzo!"

"Io faccio solo da autista," aveva chiarito Cal.

"Non ti chiediamo altro."

Dopo la seconda pinta Crilly gli aveva detto di non bere più: non avrebbero dovuto bere affatto prima di un lavoro; Cal doveva essere in sé dietro al volante. Il complesso aveva attaccato a suonare, e piano piano la sala si era riempita. Crilly aveva comprato al bar una mezza bottiglia di whiskey e se l'era infilata in tasca. Avevano ballato con tre ragazze diverse a testa... "Cercatene una che ti conosce bene," gli aveva suggerito Crilly. Cal non era riuscito a spiccicare parola con nessuna delle tre. Durante una canzone scatenata le chiavi gli avevano tintinnato in tasca e lui aveva pensato che potessero tradirlo.

Dopo aver dato un'occhiata all'orologio, Crilly aveva detto

che doveva ritirare dell'attrezzatura e gli aveva dato appuntamento al parcheggio per un quarto d'ora dopo.

"Nel frattempo tu procurati le ruote."

Cal odiava quei modi di dire hollywoodiani di Crilly... si comportava come se fosse in un film. Aveva stretto i denti e lo aveva seguito. All'uscita gli avevano stampigliato sul dorso della mano un timbro violetto con la data, in modo che potessero rientrare quando volevano.

"Mi sembra di essere un libro della biblioteca," aveva scherzato Crilly scendendo le scale.

"Non fare lo scemo," aveva risposto Cal. "Le biblioteche sono chiuse da ore." Si era sentito in colpa per la battuta, ma era nervoso.

Infilandosi un paio di sottili guanti di pelle si era incamminato verso la parte del parcheggio che non era illuminata. Tra le file di macchine aveva individuato due Cortina; aveva provato ad aprirne una, ma era chiusa a chiave. Allora si era avvicinato a quella rossa e aveva notato che la sicura della portiera posteriore era sollevata. Era salito, passando subito al posto del guidatore, e tirato fuori di tasca il mazzo di chiavi Ford aveva incominciato a provarle una per una. Crilly se le era procurate da un tipo che aveva un garage, in cambio della promessa di non bruciargli l'officina. "Tanto più che è un buon amico," aveva aggiunto. Cal aveva già provato otto chiavi senza avere fortuna. Finalmente l'undicesima aveva girato nel blocchetto e il motorino di avviamento era partito. Cal attendeva con tanta tensione quel momento che il rumore improvviso l'aveva fatto sobbalzare. Aveva acceso i fari e si era staccato dalla fila di vetture parcheggiate, imboccando il vialetto che conduceva all'uscita. Al distratto cenno di saluto del guardiano aveva fatto in modo di girare la faccia dall'altra parte. Aveva parcheggiato tenendo il motore acceso, in attesa che arrivasse Crilly. Dopo due pinte avrebbe dovuto ricordarsi di passare dal gabinetto... Si era massaggiato lo stomaco e aveva ruttato piano: i nervi gli mettevano aria. C'erano voluti dieci minuti prima che Crilly ricomparisse da una stradina con un sacchetto di carta in mano. Quando era salito in macchina, Cal aveva sentito puzza di benzina ma non aveva detto niente.

"Bella scelta, Cal," aveva osservato Crilly guardando l'interno della Cortina. "Ha abbastanza da bere?"

"Il serbatoio è a tre quarti."

Erano arrivati sulla strada principale di Margherafelt. Crilly faceva da navigatore e contemporaneamente controllava la pistola; il tenue tintinnio dei proiettili dava i brividi a Cal.

"Adoro la leggerezza di un'automatica," aveva detto Crilly. "Un capolavoro in miniatura." L'aveva sollevata per fargliela vedere. "L'unico problema è che si inceppa facilmente."

Cal, con gli occhi fissi sulla strada, non l'aveva nemmeno guardata. Quando un paio di abbaglianti gli avevano colpito lo specchietto retrovisore, aveva rallentato. Con un sospiro di sollievo aveva visto la macchina sorpassarli e i fanalini di coda allontanarsi davanti a loro. Crilly si era fatto scivolare in tasca la pistola, poi aveva preso dall'altra tasca la bottiglia e aveva svitato il tappo, rompendo il sigillo con uno scatto secco. Se l'era portata alle labbra e dopo aver bevuto un sorso aveva boccheggiato:

"Cazzo... questa sì che è roba buona. Qui a sinistra".

Cal, che aveva perso la svolta ed era stato costretto a fare un tratto a marcia indietro, aveva parlato in tono teso, con un filo di voce:

"Non me l'hai detto in tempo. Tieni gli occhi sulla strada".

"Oh-oh! Cal è nervoso... Ti sta venendo la tremarella, eh?"

Crilly gli aveva preannunciato più che in tempo il vialetto sulla destra. Cal aveva rallentato e la Cortina aveva cominciato ad avanzare tra sobbalzi e scossoni sul terreno accidentato. Avevano superato un cottage abbandonato alla loro destra ed erano entrati nel cortile della fattoria, una grande casa beige. Da una baracca i cani avevano cominciato ad abbaiare furiosamente. Crilly aveva bevuto un altro sorso di whiskey.

"Tieni in moto, Cal. Non ci metterò molto."

Si erano avvicinati con la macchina alla porta; Crilly era sceso, e Cal era rimasto ad aspettare. Gli scappava disperatamente la pipì. Aveva stretto con forza il volante, passando le dita sul dietro: chissà perché gli ricordava le grinze del palato. Aveva piegato la lingua e toccandole una per una le aveva contate. Cinque o sei. Erano come i disegni lasciati dalle onde sulla sabbia bagnata. Aveva voglia di una sigaretta, ma sapeva che gli sarebbe stata d'impaccio se avesse dovuto ripartire all'improvviso. Il motore in folle aveva perso un colpo e Cal aveva schiacciato leggermente l'acceleratore per tenerlo su di giri; l'idea che potesse ingolfarsi proprio in quel momento lo faceva star male.

Aveva visto Crilly schiacciare il campanello, ma non gli era giunto alcun suono. Era buio e in casa c'era solo una luce accesa. Cal aveva cercato di ruttare: la combinazione di birra e nervosismo lo faceva sentire come se avesse inghiottito una palla di piombo. Non voleva guardare, eppure non poteva farne a meno. Nel tentativo di ricacciare indietro l'aria aveva deglutito, ottenendo soltanto di tirar su in un rutto il respiro che aveva appena inghiottito. Una lampada si era accesa in anticamera, illuminando il contorno della porta. Cal aveva la vescica che gli stava per scoppiare. La tenda a rete si era mossa e un momento dopo la porta si era aperta davanti a Crilly che aspettava con la mano infilata in tasca. I cani continuavano il loro incessante abbaiare.

Cal aveva scorto il sorriso dell'uomo, poi la sua espressione confusa. Crilly aveva tirato fuori di tasca la pistola e l'uomo si era ghiacciato. Portava le pantofole. Crilly gli aveva sparato due volte al petto, e i colpi erano esplosi con un botto irreale, come quelli di una pistola giocattolo. Molto lentamente l'uomo era caduto in ginocchio. Come se avesse preso un pugno nello stomaco aveva gridato:

"Mar... cell...a!"

Era una specie di ruggito. Cal aveva sentito un rumore metallico e Crilly che imprecava, mentre con tutte e due le mani faceva scattare la pistola per disincepparla.

"Marcella!" l'uomo aveva ruggito di nuovo. Poi Crilly gli aveva sparato alla testa, tenendogli la pistola a pochi centimetri di distanza dalla fronte. Qualcosa aveva imbrattato la tappezzeria alle sue spalle. Crilly aveva esploso altri tre colpi verso il corridoio, quindi si era voltato e aveva cominciato a correre. Era saltato in macchina gridando:

"Vai, cazzo!"

Cal aveva sentito l'urlo delle gomme che spruzzavano fango e ghiaietta prima di far presa sul terreno. Arrivato al cancello tirando la prima all'inverosimile aveva sbandato; la macchina aveva slittato lateralmente nel fango e con un rumore di lamiera era andata a sbattere contro il pilastro di cemento.

"Vai, vai!" sbraitava Crilly.

Cal era riuscito a riportare la macchina sul vialetto ed era ripartito a tutta velocità. Senza rallentare aveva svoltato a razzo sulla strada principale, nella speranza che non venisse nessuno.

"Cosa ti avevo detto?" aveva esclamato Crilly. "La stronza si è inceppata!"

Cal aveva il vomito. Avrebbe voluto scaricare contemporaneamente tutte le sue funzioni corporali.

"E poi da dietro l'angolo è sbucato quel bastardo. Così ho dovuto dare anche a lui la sua parte."

"Chi era?"

"Non lo so chi era, ma era troppo curioso e gli ha fatto male."

Avevano fatto il viaggio di ritorno in metà del tempo. Crilly non la smetteva di parlare – chiacchiere da spogliatoio prima della partita, che Cal non aveva ascoltato –, si era scolato la mezza bottiglia di whiskey e l'aveva infilata nella borsa di carta. Aveva guidato Cal fino a uno spiazzo desolato dietro alcune baracche; lì aveva fermato la macchina ed erano scesi. Crilly aveva tirato fuori dalla borsa una latta e ne aveva rovesciato il contenuto sui rivestimenti interni dell'auto.

"Hai un fiammifero?"

Cal gli aveva passato tutta la scatola e, non potendo più aspettare, si era slacciato i calzoni e si era messo a urinare contro la lamiera ondulata di una delle baracche. Il getto faceva un rumore battente, come gli zoccoli di animali in fuga. Crilly aveva acceso un fiammifero e l'aveva buttato sul sedile, ma la fiamma si era spenta. Imprecando ne aveva acceso un altro. Il pozzo di Cal sembrava non avere fondo, nonostante lui spingesse per fare più in fretta. Questa volta la macchina era esplosa in una sorda vampata... prima azzurra, poi gialla, e Crilly aveva cominciato a correre.

"Cristo, ti sbrighi?"

Cal non aveva ancora finito, ma aveva bloccato il flusso e si era messo a correre a sua volta tirandosi su la cerniera. Arrivati sulla strada avevano ripreso a camminare: per non dare nell'occhio, aveva detto Crilly.

"Torna a ballare. Io mi sbarazzo di questa roba."

Cal aveva salito le scale che portavano alla discoteca con le ginocchia che gli tremavano e una gran voglia di scoppiare a piangere come un bambino. Quando aveva mostrato il timbro all'uomo seduto all'ingresso la mano gli tremava violentemente. Era andato in bagno per finire di svuotarsi la vescica e si era visto nello specchio, bianco come un cencio. Il suo riflesso gli faceva venire il vomito, eppure aveva continuato a guardarsi, con le mani appoggiate sull'orlo del lavandino. Nonostante tutto non aveva vomitato.

Era rientrato nella sala ed era andato dritto al bar. Faceva caldo ora; l'aria puzzava di sudore e di profumo e rimbombava di suoni. I membri del complesso si muovevano in perfetta sintonia nella loro divisa azzurro polvere.

"Vedo un viso," cantava il solista, "un viso sorridente..."

Cal sentiva il pavimento di legno vibrargli sotto i piedi. Aveva ordinato un whiskey doppio e l'aveva bevuto tutto d'un fiato, ordinandone immediatamente un altro. Dato che dietro al bancone c'era uno specchio, Cal si era lasciato scivolare giù dallo sgabello e si era cercato un angolo appartato. Aveva visto Crilly farsi lentamente strada tra la folla. Quando gli era arrivato vicino gli aveva strizzato l'occhio:

"Tutto a posto, giovane?"

Cal aveva annuito.

"Bene, adesso dobbiamo ballare... farci vedere."

Prendendolo per un braccio l'aveva buttato verso un gruppo di ragazze. Cal si era fermato davanti a una con i capelli rossi e le ciglia chiarissime; le aveva chiesto di ballare tendendole una mano e lei l'aveva seguito sulla pista. Il ritmo si era fatto più dolce e le coppie si erano date a un vecchio lento. Cal aveva appoggiato una mano sulla schiena della ragazza, intrecciando l'altra alle sue dita. Non era grassa, tuttavia Cal sentiva la cinghietta del reggiseno che le stringeva la schiena. Ballava vergognandosi di guardarlo negli occhi, e fissava il vuoto canticchiando la melodia. Era calda al tatto e aveva la mano umidiccia. Cal la guidava impacciato, penosamente consapevole di quel corpo che si muoveva vivo sotto la sua mano. Di nuovo si era visto davanti l'uomo che cadeva in ginocchio, il tallone che gli scivolava via dalla pantofola, lo stupore nei suoi occhi. Marcella. Il nome gli rimbombava nelle orecchie, coprendo la musica. La rossa masticava un chewing gum: non continuamente, perché in quel caso se ne sarebbe accorto prima; se lo faceva passare di tanto in tanto da una parte all'altra della bocca, lo masticava un paio di volte e poi si riposava un po'. Sotto il mento aveva un porro scuro da cui spuntava un sottile pelo biondo. Era il primo lento di una serie di tre, ma alla fine della canzone la ragazza aveva dato una rapida masticatina:

"Grazie," aveva detto ed era tornata dalle sue amiche. Al bar Cal era rabbrividito vedendo una donna portarsi alle labbra un succo di pomodoro. Crilly era ancora sulla pista; con le mani basse sulla schiena della sua compagna, muoveva le spalle a tempo e parlava come un disperato. Cal aveva aspettato che si avvicinasse al bordo della pista e gli aveva gridato:

"Io me ne vado".

Senza aspettare risposta, si era fatto strada a forza di gomiti fino alla porta, con una furia tale che la gente si era voltata seccata a guardarlo. Si sentiva un marchio di sangue impresso sulla fronte: gli ci sarebbe voluta una vita intera per cancellarlo.

4

Cal continuò ad abitare nel cottage abbandonato presentandosi al lavoro al mattino presto, prima di Dunlop, e prendendo tempo la sera come se aspettasse un passaggio, finché Dunlop se ne andava. Mercoledì, mentre Cyril era in città a cercare dei pezzi di ricambio per il trattore, Cal tornò al cottage. Rovistò tra i mobili accatastati e su un vecchio divano trovò tre cuscini quadrati. Li dispose uno accanto all'altro a fare da materasso in un angolo della sua stanza, poi li avvolse in due coperte grigie leggere che avvolgevano un paio di sedie messe da parte perché un po' meno scalcagnate. Prese in prestito dalla baracca degli attrezzi una scopina e spazzò il pavimento dai vetri e dalla polvere, radunandoli nell'ingresso. Pensò anche di prendere la torcia elettrica che stava sulla mensola, ma si rese conto che se dal cottage si vedeva la fattoria, dalla fattoria potevano vedere lui. Imparò invece a muoversi al buio.

Dopo una settimana dovette arrendersi alla barba nera che gli andava crescendo non perché lo desiderasse, ma perché non aveva modo di radersi. Nella minuscola cucina c'era un acquaio, però niente rubinetti. Più di una sera andò a piedi allo Stray Inn a comprarsi le sigarette. Il pub faceva anche da tavola calda e Cal cenava lì, sapendo che se non avesse mangiato avrebbe finito con l'ammalarsi. La clientela non era gente del posto, ma gruppi con giacconi di montone che venivano in macchina da altre città tanto per fare qualcosa di diverso. Stando così le cose, era improbabile incontrare qualcuno che lo conoscesse.

Cal aveva la sensazione che la fattoria fosse la terra e il cottage la sua luna. A volte di notte, quando il vento tirava dalla parte giusta, udiva in lontananza l'acciottolio dei piatti. Come una specie di sentinella osservava le luci accendersi nelle stanze e si chiedeva se fosse Marcella o qualcun altro. Sebbene distasse da lui anni luce, Cal avvertiva la sua smisurata attrazione. Eppure sapeva che, a causa di ciò che aveva fatto, loro due – proprio come luna e terra – non avrebbero mai potuto incontrarsi. Il suo peccato li separava, incolmabile come il freddo spazio. Non gli restava altro che guardarla. Una volta Padre Brolley aveva detto che peccando ci si bandisce dalla presenza di Dio. Non è Dio che dopo la morte punta il dito e dice: "Che tu sia maledetto, allontanati da me!" È l'uomo che vede la propria colpa e si esclude. L'uomo si danna da solo.

Una sera Cal vide Marcella avvicinarsi alla finestra e tirare le tende con quel suo ampio movimento delle braccia. Poi su un lato della fattoria, sopra il corpo separato della cucina, si accese una luce. Se con quel che aveva fatto si era condannato da solo all'esilio, almeno poteva guardare. Uscì come un'ombra dal cottage e attraversò il cortile della fattoria. La vedeva muoversi in modo vago dietro i vetri a bolle della finestra illuminata, una forma che ondeggiava avanti e indietro. Nella baracca i cani cominciarono ad abbaiare, ma Cal fece schioccare la lingua e il suono conosciuto li calmò. Fissava il quadrato di luce, immaginando la figura di lei e quello che stava facendo. Poi Marcella si avvicinò alla finestra e spinse verso l'esterno il pannello superiore, fermandolo con il gancio. Il vapore cominciò a condensarsi nell'aria fredda. Accanto al muro c'era un bidone di nafta: disprezzandosi per quello che stava facendo, Cal vi si arrampicò e si issò in fretta sul tetto piatto della cucina. Non osò avvicinarsi di più. Se Marcella lo vedeva... Oh Gesù santo, se lo vedeva! In piedi quasi sull'orlo del tetto, Cal guardava dentro attraverso la stretta striscia di vetro non appannato. Le braccia di lei si alzarono e lottarono per sfilare dalla testa un maglione nero. Sentiva il rumore incessante della cascata d'acqua dai rubinetti della vasca. Marcella si era raccolta i capelli in una coda alta, legata con un nastro verde che sembrava uno di quelli di sua figlia. Moriva dalla voglia di vedere di più: adorava quel suo modo di far vagare lo sguardo, quella maniera di concentrarsi su ciò in cui era indaffarata, quell'andare e venire della testa di lei nel suo campo visivo. Saperla completamente ignara degli occhi che la spiavano gli faceva venire i brividi. Si alzò in punta di piedi per cercare di vedere di più e le gambe presero a tremargli convulsamente. Marcella si raddrizzò e Cal scorse la sua nuca nuda e abbronzata, con i capelli neri tirati su. Attraverso il vetro a bolle poteva soltanto immaginare il resto dei suoi movimenti, il suo corpo che si chinava, si curvava, camminava. Si avvicinò di qualche passo alla finestra ed esitò. Di nuovo si alzò in punta di piedi e la vide togliere un asciugamano dal gancio sulla porta. Mentre si allungava per prenderlo, uno dei suoi seni entrò nella visuale di Cal: bianco e delicato – non come la pelle scura delle spalle –, per nulla pesante, anzi un po' sollevato seguendo il gesto del braccio teso. Cercò di fermare quell'immagine, di far scattare l'otturatore. Lo scroscio dei rubinetti aperti cessò e quando Marcella cominciò a canticchiare, Cal si sentì il più grande stronzo del mondo. Scomparve dalla finestra per sprofondare nella vasca con un rumore di acqua. Se si avvicinava ancora un po' correva il rischio che lei guardasse fuori e vedesse i suoi occhi di fuoco spiarla attraverso il vetro. Come avrebbe reagito? Sarebbe finito tutto... il lavoro, tutti i suoi piani, la possibilità di starle vicino. Non avrebbe più potuto farsi vedere in biblioteca, non avrebbe mai più potuto rivolgerle la parola. Scese sul bidone con movimenti goffi e tornò di corsa al cottage, tenendosi basso come un ladro. *Merde. Crotte de chien.* Merda Mc Crystal.

Si sdraiò sui cuscini con un odore di muffa nel naso e, pensando a Marcella, scaricò la tensione che aveva dentro. Nella malinconia che seguì, l'irrimediabilità della sua situazione gli apparve con chiarezza: era innamorato dell'unica donna al mondo che gli era proibita; soffriva per qualcosa che non poteva esistere. A parte l'età – quale vedova avrebbe mai preso in considerazione un ragazzo con i capelli lunghi e dieci anni di meno? –, quello che aveva fatto lo bandiva da lei. Marcella era una meta irraggiungibile perché lui aveva partecipato all'assassinio di suo marito. Ogni sua azione metteva un po' più di distanza tra loro: toccarla in chiesa, spiarla in bagno. Accennò una risata. Se sfiorarle l'anca con il dorso della mano mentre uscivano dalla chiesa metteva un altro centimetro tra loro, averle ammazzato il marito lo scaraventava ai confini della galassia.

Si accese una sigaretta e per un momento la stanza arse di giallo. Sebbene fosse in una situazione senza sbocco, non aveva intenzione di lasciare quella casa. Ora che li aveva mollati, doveva fare i conti con Skeffington e Crilly. Per quanto ne sapeva lì era al sicuro, e il giorno in cui Crilly fosse venuto a cercarlo c'era la pistola nascosta sotto il pavimento. I disertori venivano fucilati... anche quando protestavano di non essersi mai arruolati. Ma a Crilly non sarebbe mai venuto in mente di cercarlo lì.

Non riuscendo a dormire, fumò altre due sigarette. Faceva freddo, così Cal appoggiò sulle due coperte sottili anche la sua giacca a vento. Si annusò, piedi e camicia, e concluse che era davvero ora di farsi un bagno e di cambiarsi. Portava gli stessi vestiti ormai da due settimane e cominciava a sentirsi, puzza compresa, un barbone. Un giorno era andato a lavorare senza calze e senza slip e li aveva lavati sotto il rubinetto della stalla, usando un pezzo di sapone giallo al fenolo. Poi li aveva messi ad asciugare sulla mensola del camino, tenuti da tre sassi, ma il mattino dopo erano ancora bagnati e piuttosto che sopportare per un'altra giornata l'attrito con gli stivali e la sensazione dei genitali indifesi, si era rinfilato la biancheria umida, lasciando che si asciugasse con il calore del suo corpo. Doveva andare a trovare Shamie per lavarsi e chiedergli di procurargli camicie, calze e tutto il resto. Preferibilmente camicie di cilicio. Se gli eremiti avessero indossato mutandoni di cilicio, chissà quanto avrebbero resistito. Una delle cose di cui sentiva maggiormente la mancanza era la possibilità di lavarsi i denti. I primi giorni, ogni volta che ci passava la lingua sentiva uno strato in più. Sebbene non potesse vederli, sapeva che erano gialli. Gli tornò in mente una ricetta di sua madre e rubò in cucina un po' di sale da mescolare con la cenere del camino: il bianco e il nero insieme. La polvere non era diventata grigia, era rimasta un insieme di granelli bianchi e neri. Ogni mattina si spazzolava i denti con un dito coperto di quel miscuglio e poi si sciacquava la bocca con un sorso d'acqua severamente razionato da un barattolo di latte in polvere che aveva riempito al rubinetto nel cortile. Buttò il mozzicone nel camino e rimase a guardare la brace che si spegneva piano piano, poi si sistemò per cercare di dormire.

All'improvviso la stanza fu invasa da una luce bianca e blu e la porta si aprì con uno schianto. Si udirono delle grida e sul pavimento tuonarono passi pesanti. Un calcio spinse la porta della stanza contro il muro. Cal non era ancora completamente fuori dal letto e già correva piegato in due, ma una voce gli urlò: "Fermo dove sei." Vide i fucili puntati contro di lui, poi una luce lo accecò e un calcio lo colpì alla tempia. Cadde all'indietro contro il camino. Strillava così forte che la testa gli scoppiava, e lo stesso facevano gli altri. Lo tirarono in piedi e si trovò davanti la faccia di un negro. Lo sbatterono contro il muro con le gambe larghe e le braccia alzate, e un paio di mani lo frugarono da capo a piedi. Il negro disse:

"Che ci fai qui, bello?"

Gli altri soldati stavano rovesciando il suo letto, scuotendo le coperte maleodoranti. Il negro prese Cal per i capelli e gli fece girare la testa, puntandogli in faccia il fascio di luce della torcia.

"Ti ho chiesto cosa ci fai qui."

Un'altra voce disse: "Tutto a posto, sergente". Cal rimase contro il muro, con le braccia e le gambe larghe. Un liquido caldo gli colò sull'occhio e si rese conto che la testa gli sanguinava. La voce che aveva parlato per ultima aveva un accento snob. Parlò di nuovo:

"Puoi spiegare la tua presenza qui?"

"Ci lavoro," rispose Cal.

"Lavori dove?"

"Alla fattoria dei Morton."

"Ma se sono stati loro a chiamarci..."

"Non sanno che sono qui."

"Vogliamo sapere *perché* sei qui."

Cal cercò di portare giù le braccia e girarsi in modo da parlare civilmente con quello che lo interrogava, ma come fece per muoversi un'altra voce gridò: "Fermo dove sei". Udì lo scatto che armava il fucile puntato contro di lui e si immobilizzò. Si appoggiava alla parte bassa delle mani e cominciava a sentirsi le braccia stanche e pesanti.

"Mi hanno bruciato la casa due settimane fa. Non sapevo dove andare."

"Qual è l'indirizzo?"

Cal diede l'indirizzo e l'uomo uscì a passi pesanti dalla stanza. All'esterno la radio gracchiò qualcosa, dopodiché la voce snob tornò dentro.

"Hai detto che lavori qui?"

"Sì."

"Vieni."

Il negro usò la canna del fucile per spingerlo verso la porta. Altri due soldati bianchi, con le facce sporcate di nero, lo tenevano sotto tiro. In testa al gruppo Cal passò di fianco alla Land Rover con un grande fanale acceso e imboccò il vialetto verso la fattoria. Mise un piede in una pozzanghera gelida e si rese conto di non essersi infilato le scarpe. Tremava incontrollabilmente e si abbracciava cercando di calmare i brividi e di proteggersi dal freddo. Avanzava a scatti, camminando sulle punte tra i ciotoli che gli facevano male ai piedi. Davanti alla porta della fattoria c'era un'altra Land Rover con la radio accesa. La voce snob entrò in casa e vi rimase per quelli che a Cal sembrarono anni. Aveva i piedi doloranti per il freddo e la passeggiata sui sassi, e i fucili sempre puntati addosso. Un soldato ebbe una breve conversazione alla radio della Land Rover, poi entrò in casa. Marcella comparve sulla soglia insieme alla voce snob; portava un accappatoio di spugna giallo limone e i capelli ancora tirati su con il nastro da bambina. Fissava Cal con il viso corrucciato per la preoccupazione.

"Sì, è lui. Mi dispiace moltissimo," disse rivolta all'ufficiale, "ma dopo quello che è successo... Vieni dentro, Cal."

"Ancora un momento, signora."

Chiesero a Cal nome e indirizzo e gli fecero un sacco di domande. Poi gli misero davanti un pezzo di carta da firmare. Cal si girò a guardare e vide fasci di luce e ombre muoversi nel cottage. Se trovavano la pistola era bell'e che fottuto: sapeva che se lo avessero pestato abbastanza, sarebbero riusciti a cavargli di bocca la storia dell'omicidio. Con mano tremante scarabocchiò sul foglio il proprio nome. I soldati si ammassarono sulla Land Rover, che imboccò il vialetto.

"È meglio che entri," disse Marcella.

Cal guardò il cottage: le luci si spensero e le due macchine, con i fanalini posteriori che oscillavano su e giù, si diressero sballottando verso la strada. Si girò e la seguì all'interno. Mrs Morton, anche lei in vestaglia, era seduta in cucina. Una retina le tratteneva i capelli e il suo volto era pallido e contratto. Alzò lo sguardo sentendoli entrare.

"Sei davvero uno stupido, Mc Crystal!" disse. "Ti rendi conto del guaio che hai combinato?"

"Mi dispiace," rispose Cal.

"Quando ho visto la fiammella dei fiammiferi in quella casa, non riuscivo più a ragionare per la paura." Le lenti dei suoi occhiali riflettevano il bagliore bianco della lampada al neon.

"Lasciami dare un'occhiata a quella testa," intervenne Marcella. Cal si spostò dal punto in cui si era fermato e vide sul pavimento le impronte umide delle calze e degli alluci che ne spuntavano. Si sedette su una sedia.

"Mio marito si è svegliato per il baccano ed era fuori di sé per il terrore. Quando ti è successo una volta, non te lo dimentichi più."

Cal cercò di dare delle spiegazioni, ma Mrs Morton lo zittì.

"Perché non ci hai *detto* che ti avevano bruciato la casa? In qualche modo ti avremmo aiutato. Ma già... hai avuto un'idea migliore!"

"Avevamo sentito che c'erano stati degli incendi dolosi," disse Marcella, "ma non avevamo idea che si trattasse di casa tua." Appoggiò sul tavolo un recipiente pieno di acqua calda e ci versò dentro una nuvola bianca di Dettol. Poi scostò i capelli di Cal dalla ferita e la lavò con un batuffolo di cotone. Gli toccava il viso qua e là con la punta delle dita per spostargli la testa.

"Non mi sembra che servano i punti. Più che un taglio netto è una escoriazione e poi c'è la botta."

"Mi è venuta voglia di licenziarti, su due piedi!" riprese Mrs. Morton. "Insomma, lavori qui da due settimane e irrompi in una nostra proprietà, facendoci impazzire di paura."

"Mi dispiace. Mi dispiace moltissimo," disse Cal. "Ma non sapevo cosa fare." Chiuse gli occhi e pensò che se parlava così *forse* non l'avrebbe licenziato. La manica morbida dell'accappatoio di Marcella gli sfiorò la guancia e lui sentì il profumo del borotalco che doveva aver usato dopo il bagno.

"I soldati hanno detto che dobbiamo far murare la porta," continuò Mrs Morton. "Quella casa è un rischio senza nessuno che ci abita. Così per colpa tua abbiamo perso un magazzino."

"Perché non metti a bollire un po' d'acqua, mamma? Mi sembra che abbiamo tutti bisogno di una tazza di tè."

"Se bevo il tè a quest'ora non dormo più... Ma tanto dopo quello che è successo non dormirei comunque." Si alzò e mise l'acqua sul fuoco. Marcella strizzò tra le dita un altro batuffolo di cotone per asciugargli la ferita.

"Ecco fatto," disse e gli sorrise. "Adesso ti metto un cerotto." Prese dalla mensola una scatola di latta e ne tirò fuori un cerotto grande. Tolse la carta protettiva su un lato e attaccò la striscia adesiva di fianco alla ferita. Poi, tenendolo ben teso, fece scorrere il resto del cerotto sulla pelle, staccando mano a mano l'altro pezzo di carta. Infine passò i pollici sulla medicazione in modo che aderisse per bene.

Mrs Morton ora taceva e tutti sorseggiavano il tè in un silenzio imbarazzato.

"Dove andrai adesso?" chiese Marcella.
"Non lo so."
"Puoi dormire sul divano," disse Mrs Morton senza guardarlo. "Non voglio che si dica che ho buttato un ragazzo in mezzo a una strada a quest'ora di notte." Il tremito che le scuoteva la mano fece tintinnare la tazza sul piattino.
"E domani?" domandò Marcella. Cal si strinse nelle spalle, con lo sguardo fisso sul tè. "Posso parlarti un momento, mamma?" Le due donne si alzarono e andarono nell'altra stanza. Cal rimase seduto ad aspettare, fissando il sorriso affettato della Regina sul lato della scatola del tè.
Quando rientrarono fu Mrs Morton a parlare, con le braccia conserte e i piedi, piatti e spalancati, infilati nelle pantofole. Le sue gambe erano bianche come due candele, striate dal blu delle vene.
"Mia nuora suggerisce un compromesso. Ti prendiamo come inquilino, così l'esercito non potrà murare la casa. Vedi tu di sistemare il posto come puoi... ma, come già saprai, non ci sono servizi. Non ti chiedo nessun affitto."
"Preferirei pagare," protestò Cal.
"Non lo faccio per generosità. Se pagassi un affitto potresti avanzare pretese. Così legalmente non hai diritti: quando ti dirò di andartene, te ne andrai."
"Troverò il modo di ripagarla."
"Mi farò ripagare con il lavoro," concluse Mrs. Morton e, cosa che non le succedeva da tutta la sera, fu lì lì per sorridere.

La mattina dopo Cal fu svegliato dalla radio accesa in cucina. Si alzò e stava per tornare al cottage quando Mrs Morton bussò alla porta della stanza.
"Il tè è caldo, se ne vuoi una tazza."
Cal la raggiunse in cucina, borbottando un grazie. Mrs Morton lo guardò e vedendolo tutto in disordine lo spedì in bagno. Rapido come un ladro, Cal entrò nella vasca e si lavò da capo a piedi con sapone e acqua calda, poi si asciugò con la salvietta verde muschio che aveva visto usare a Marcella la sera prima. La barba sul suo viso riflesso nello specchio lo sorprese; vide il cerotto, dietro cui spuntava il rossore dell'escoriazione, e un'ombra scura intorno all'occhio. Si lavò i denti con il dentifricio e uno spazzolino a caso, e sentendosi la bocca pulita gli sembrò di rinascere.

Cercò di fare tutto il più in fretta possibile, perché nessuno pensasse che era proprio sporco. Al momento di mettersi le calze si accorse che erano dure e incrostate di fango. Le arrotolò e se le infilò in tasca: almeno adesso aveva i piedi puliti.

Bevve il tè, senza stancarsi di dire e ripetere che gli dispiaceva tanto per la sera prima.

"Quando si è vissuta una tragedia come la nostra, la paura non ti lascia più," rispose Mrs Morton. "Sembra ieri che hanno ucciso Robert. Era un così bravo ragazzo... tutti gli volevano bene. Lui e sua moglie facevano una bella coppia, sebbene Marcella sia di un'altra religione. Era tanto buono anche con lei." Scosse la testa come se non potesse credere che fosse successo davvero.

Cal vide le foglie di tè comparire sul fondo della tazza. Non sapeva se prender tempo sperando che Marcella scendesse in cucina o spicciarsi per non restare lì con Mrs Morton.

"Più tardi passa a chiamare mia nuora, cercherà di trovarti qualche mobile. Stamattina starà a letto un po' di più, è il suo giorno di riposo." Gli bastava sapere che l'avrebbe vista più tardi. Ringraziò Mrs Morton di tutto e disse che doveva andare: Dunlop lo aspettava. Vedendo i suoi piedi nudi aggrappati al piolo dello sgabello, la donna aprì un armadietto e tra una fila di stivali di gomma gliene fece scegliere un paio con cui tornare fino al cottage.

Cal impiegò tutta la mattina a pulire la stalla e quando ebbe finito andò a bussare alla porta della fattoria. Mrs Morton lo fece entrare e chiamò Marcella. Per prima arrivò la bambina, facendo capolino per vedere chi fosse; subito dopo comparve lei.

"Possiamo prendere la branda dalla stanza sul retro? Le cose che ci sono in solaio saranno tutte umide."

"Prendete quello che volete. Sta a te occupartene: l'idea è stata tua."

Cal e Marcella salirono le scale seguiti dalla bambina che gridava:

"Puzza di cacca."

Sua madre la zittì, mentre Cal arrossiva sapendo che probabilmente aveva ragione.

Si caricò sulle spalle la rete del letto e la trasportò così fino alla casa, accompagnato da Marcella con le braccia piene di coperte e cuscini a righe azzurre. A Lucy diedero le federe piegate e lei li seguì, passando apposta in mezzo a tutte le pozzanghere per far schizzare l'acqua. Per tutto il pomeriggio andarono avanti e indietro in spedizioni tra la fattoria e la casa. Trasportarono tende, una lampada e un fornello da campo, un bollitore, un tavolo da gioco rivestito di un panno verde tarmato. Dall'altra stanza presero le due sedie buone, quelle che aveva trovato coperte. Cal notò che quando erano alla fattoria con Mrs Morton, Marcella era seria e riservata, ma non appena varcavano la soglia il suo umore cambiava.

Durante il primo viaggio disse:

"Bene, in marcia!" e sorrise a Cal piegato sotto la branda, con le dita intrecciate alla rete. "Operazione Stalla, dato che nella locanda non c'è posto..." Quando arrivò al cottage osservò che era meglio di come lo ricordava. Accese il camino con della carta, un po' di sterpi e del carbone che aveva portato in una scatola di cornflake, e per avere qualcosa con cui alimentare il fuoco Cal caricò una carriola dei ceppi che lui stesso aveva tagliato. Finito di trasportare tutto ciò che prevedevano potesse tornar utile, compreso un tappetino come scendiletto, Cal propose una pausa per il tè. Accese il fornello da campo e prese il bollitore; poi si fermò e disse:

"Abbiamo tutto quello che ci serve, tranne l'acqua, il tè, il latte e lo zucchero."

"La teiera e le tazze."

"Dove crede di essere, in albergo?"

Alla fattoria Mrs Morton minacciò di scalargli dalla paga il prezzo di tutte quelle cose, e Cal si sentì a disagio non riuscendo a capire se scherzava o faceva sul serio. Mrs Morton gli disse anche che nel cortile sul retro della casa ci doveva essere una pompa, bastava darsi la pena di cercarla. Se funzionasse ancora dopo tutti quegli anni non lo sapeva.

Seduti nel cottage, aspettavano che l'acqua bollisse. La piccola Lucy parlava da sola nell'ingresso e i ceppi nel camino mandavano sibili e scoppiettii.

"Mi fa tornare in mente quando giocavo alla casa," osservò Marcella, "quando ero piccola."

"Dove?"

Lei cominciò a raccontargli della sua infanzia a Portstewart. Veniva da una famiglia italiana, i D'Agostino, che avevano un caffè sulla passeggiata: pareti beige con una decorazione a ventagli sull'intonaco. L'avevano mandata a scuola dalle suore; il convento era una specie di grande Elsinore, su una scogliera a picco sull'Atlantico. Tra l'altro quell'estate lei e Lucy erano andate a

Roma... non era stata proprio una vacanza, piuttosto un modo per distogliere la mente da quello che era successo. Aveva sentito della cosa orribile che avevano fatto a suo marito? Cal annuì, poi con la scusa di accudire il fuoco si accovacciò davanti al camino voltandole le spalle. Mentre Marcella parlava, lui riusciva solo ad assentire, come si fa al telefono. Per paura di sembrare troppo insensibile un paio di volte si fece forza e girò la testa per guardarla negli occhi. Appena possibile cercò di cambiare discorso:

"E l'abbronzatura viene da Roma?"

Marcella gli raccontò di come si era sentita in colpa di stare stesa al sole con quell'unica ironica concessione al suo lutto che era il bikini nero. Sua madre le aveva dato i soldi per l'aereo e un lungo elenco di indirizzi. Aveva conosciuto centinaia di zie, zii e cugini che non riusciva a capire, perché da tempo aveva lasciato andare il suo italiano e loro non volevano o non sapevano parlare più lentamente. In compenso avevano riempito Lucy di vizi e a lei avevano subito voluto bene, con gli occhi scuri in cui si leggeva che sapevano della sua tragedia.

Beveva il suo tè seduta sul letto a gambe incrociate. Cal, su una sedia dallo schienale rigido, l'ascoltava come in trance. Se l'era immaginata silenziosa e schiva.

"Manca qualcosa," disse Marcella e riassunse tutto quello che avevano portato nella stanza, tenendo il conto con le dita. "Ci sono! E so anche dove procurarmela."

"Cosa?"

"Una cassettiera. Ce n'è una nell'altra stanza."

Saltò giù dal letto e Cal l'aiutò a trasportare nella sua camera un piccolo comò. Quando provò ad aprirli, i cassetti opposero resistenza e tutto il mobile traballò, facendo sbattere le maniglie come piccoli batacchi di ottone.

"Mia madre passava una candela sulle scanalature per far scivolare meglio i cassetti," disse lei.

"Grazie mille," rispose Cal ridendo, "ma tanto non ho niente da metterci dentro." Marcella indugiò: si era fatta di nuovo seria e preoccupata.

"Già... vi hanno bruciato la casa. Avete perso tutto?"

Cal annuì. "Ci sono tornato una volta sola, era tutto distrutto."

"E da allora hai portato sempre gli stessi vestiti?"

Cal cominciò ad arrossire.

"Puzza di cacca!" disse Marcella e tutti e due scoppiarono a ridere. Poi le tornò sul viso un'espressione grave, mentre seduta sul letto stringeva la tazza tra le mani. Lo guardava, mordicchiandosi il labbro.

"Ti offendi facilmente, Cal?"

"No."

"Accetteresti dei vestiti usati?"

"Ma certo."

"Che taglia?"

"Qualsiasi taglia portasse chi li ha usati," disse Cal.

Marcella rise e riprese: "Bene, vado a vedere. Avevo pensato di dare tutti i vestiti di Robert a una vendita di beneficenza, ma non mi sono mai decisa a farlo." Si fermò sulla porta: "Sicuro che non ti dà fastidio portare le cose di un morto?"

Seduto sulla sedia scricchiolante, Cal fissava il pavimento. Dovette rispondere:

"No, niente affatto".

Nell'ingresso la sentì chiamare: "Vieni, Lucy. Facciamo un'altra spedizione dalla nonna".

Cal era seduto nella stessa identica posizione quando Marcella riapparve portando una valigia di pelle rossa con un tagliando aereo attaccato alla maniglia. L'appoggiò sul letto e l'aprì.

"Ci ho pensato," disse. "Non voglio darti niente che mia suocera possa riconoscere. Su questa cosa è un po' strana... sai, suo figlio e via dicendo. Quindi niente completi e niente maglioni con le greche. Vieni a vedere se c'è qualcosa che ti piace."

Con uno sforzo Cal si alzò e si avvicinò alla valigia. C'erano camicie verde chiaro della Ruc perfettamente stirate, due paia di pantaloni di flanella, pullover scialbi, calze e slip di vari colori.

"Ti andranno bene?" chiese lei mostrandogli un paio di calzoni. "Sei alto più o meno come Robert, ma lui aveva la pancetta della mezza età. Provateli."

Cal si portò i pantaloni nel cucinino; Lucy lo seguì, e lui la mandò via il più gentilmente possibile. Mentre si cambiava gli vennero in mente i monaci e gli eremiti, con i cilici ideati per infliggere sofferenze. I pantaloni erano della lunghezza giusta, ma gli andavano larghi di vita. Prese la sua cintura e la infilò nei passanti, allacciando la fibbia all'ultimo foro, ormai ben consumato. Non erano male, gli davano un po' l'aria di certi ritratti di olandesi che aveva visto sul suo primo sussidiario. Tornò nella stanza e disse:

“Mi andranno alla perfezione se resto incinto”.

“Oh, Cal!” Marcella tratteneva le risa e al contempo sembrava dispiaciuta per lui.

“Faranno il loro servizio finché non avrò lavato i jeans.”

“Perché non dai a me i panni sporchi, li metto nella lavatrice...”

“No.”

“Perché no? Credi che sia nata ieri?”

“È perché sono...” Cal esitò, cercando la parola giusta. “Non passerebbero la prova.”

“Quale prova?”

“L’ha inventata uno che conosco. Se butti le mutande contro il muro e scivolano a terra... le puoi portare ancora un giorno. Se rimangono attaccate alla parete, è ora di metterne un paio pulite. Io ne ho bisogno un paio pulite.”

Marcella scoppiò a ridere, facendo una smorfia di disgusto.

“Prima le metto a bagno,” propose Cal.

“E come? Dove?”

Lui ci pensò su e un momento dopo il viso gli si illuminò. “La pompa!” esclamò. Si rimise i jeans e tutti e tre uscirono sul retro della casa. Cespugli di rovi ricoprivano un muro di pietra.

“Dev’essere qui da qualche parte.”

Marcella raccolse una mora succosa e la mise in bocca a Lucy. La bambina provò a masticarla, ma non trovandola di suo gusto la sputò, sporcandosi tutto il mento. Con uno sguardo di disapprovazione sua madre allungò una mano a pulirle la bocca e poi se l’asciugò sull’erba. Cal si era chinato a frugare tra i cespugli, poi provò ad addentrarvisi, schiacciando con lo stivale il graticcio che li sosteneva. Marcella riusciva ora a vedere sotto la fitta copertura di rovi.

“Eccola lì,” annunciò.

Cal andò a prendere dalla baracca degli attrezzi un rastrello e un aggeggio che sembrava una mannaia da macellaio attaccata all’estremità di un bastone. Aprì un passaggio fino alla pompa e poi cercò di ripulire il terreno lì intorno, mentre Marcella rastrellava i lunghi viticci dei rovi. I filamenti sembravano quasi vivi, serpenti che si attorcigliavano intorno alle gambe dei suoi jeans, si avviluppavano e si aggrappavano per resistere al rastrello. Marcella fece spostare Lucy perché non si graffiasse. Cal si fermò un attimo a riposare e a osservarla, ma lei fece finta di niente e continuò a lavorare. Ogni volta che si stendeva in avanti il maglione le saliva sulla schiena, scoprendo una sottile striscia di pelle nuda. Cal poteva contarle le vertebre sulla schiena piegata. Marcella si raddrizzò, si tirò giù il maglione e gli sorrise senza fiato.

"Non è come timbrare libri," disse.

Finalmente riuscirono a ripulire un piccolo spiazzo in mezzo a cui troneggiava la pompa, una tozza struttura grigia con i fianchi scanalati e una specie di elmetto di ferro in cima.

"Il problema è: funzionerà?" chiese Cal.

Marcella afferrò la leva e cominciò a muoverla su e giù. Si udì un rumore metallico e un cigolio arrugginito, ma non accadde nulla.

"Non bisogna smettere," la incoraggiò Cal.

Lei continuò a pompare su quel braccio con l'estremità ricurva come la coda di una scimmia e a un tratto Cal, che ascoltava con l'orecchio appoggiato alla cannella, udì un gorgoglio e un lontano ansimare.

"Dai, dacci sotto Marcella!" Si rese conto che per la prima volta le aveva dato del tu e aveva pronunciato il suo nome, un nome che gli aveva riempito la bocca. Lei ansimava per lo sforzo; uno spruzzo di acqua color ruggine schizzò fuori dalla pompa e cadde sulla piccola conca di pietra. Diedero entrambi in un grido di gioia e Lucy si avvicinò a guardare.

"Continua a farla andare," le disse concitato Cal. Presto l'acqua prese a uscire in fiotti limpidi ogni volta che la leva calava verso il basso. Cal si raddrizzò e ripeté il suo nome per il piacere di ripeterlo:

"Ben fatto, Marcella".

Lei si alitò sulle unghie della mano e le lucidò sul risvolto di una giacca immaginaria. Cal se l'era assolutamente dimenticato: era un gesto che si usava a scuola quando si facevano tutte le operazioni giuste. Forse non aveva poi così tanti anni più di lui.

"Perché un giorno non andiamo per more? Prima che finiscano," suggerì Marcella.

"D'accordo," rispose Cal.

Ad un tratto Lucy si mise a piangere: la calzamaglia di lana le si era impigliata nei rovi e più si agitava per liberarsene, più i viticci le si attorcigliavano addosso. Si chinò per staccarli con la mano, e pungendosi lanciò un urlo. Marcella corse a prenderla in braccio, consolandola con la voce, ma lei tendeva il pollice macchiato dalla goccia di sangue e gridava. Cal rimase a guardare mentre Marcella si stringeva al petto la figlia e poi scostava la testa per guardarla in faccia, tenendola allacciata alla vita.

"Oh, bisognerà bendare questa ferita." Ma la bambina non smetteva di piangere. Marcella si rivolse a Cal: "È stanca. È meglio che vada".

Di nuovo Cal avrebbe voluto fermare l'attimo in cui si era girata verso di lui, con i capelli sul viso e le braccia strette intorno alla bambina in lacrime. Mentre avanzava cautamente tra i rovi tagliati gli ricordò:

"Mi raccomando i panni da lavare..."

Cal la salutò con la mano.

Rimasto solo stentava a credere che fosse realmente successo: erano stati insieme per tre ore, avevano chiacchierato, l'aveva fatta ridere. In un certo senso si erano anche dati un appuntamento... per le more; anzi, due appuntamenti, il secondo per la biancheria da lavare. Dovette tornare in casa e sedersi a fumare una sigaretta.

Un po' più tardi andò alla stalla e prese in prestito un secchio. Quando lo riempì, l'acqua era di un colore verdastro contro il bianco dello smalto. Tornò indietro dalla pompa tenendo un braccio orizzontale a fare da contrappeso a quello con cui reggeva il secchio, teso verso il basso e il più fermo possibile per non rovesciare l'acqua. Spaccalegna e portatori d'acqua, ebbene sì. Versò il contenuto del secchio nel lavello e si spogliò, buttandoci dentro mano a mano gli indumenti che si toglieva. Quando fu completamente nudo si avvicinò alla pila degli abiti del morto. Per liberarsi da quel peso si vestì in fretta, cercando di non pensare. I mutandoni gli stavano grandi, ma non abbastanza da cadere; calze e scarpe erano perfette. Una volta vestito, sciacquò per bene i panni sporchi nell'acqua e dopo averli strizzati li annusò: erano presentabili, abbastanza puliti da poter essere lavati.

Andò alla fattoria e bussò alla porta della cucina. Gli aprì Marcella, che prese i vestiti bagnati lasciandolo sulla soglia. Usò modi secchi e risoluti, e prima che a lui venisse in mente qualcos'altro da dire aveva già richiuso la porta.

Quella sera Cal accese la lampada a gas e si sedette davanti al camino a guardare la sua stanza. La sbrigatività di Marcella sulla porta della cucina gli aveva rovinato il gusto della giornata. Gli sembrava quasi di essersi inventato il resto o quantomeno di averlo frainteso. Si chiese dove fosse finito il libro della biblioteca, lungo com'era gli sarebbe tornato utile ora che aveva tutta la notte davanti. Non aveva altro da fare che stare lì seduto. Era come guardare la televisione, tranne che qualcuno aveva portato via l'apparecchio.

Appoggiò i piedi sulla mensola e si bilanciò contro lo schienale della sedia. Pensò a come le cose gli capitavano senza che fosse lui a farle succedere. Aveva bisogno di darsi una disciplina. Sua madre aveva governato la propria vita con un pugno di ferro. Faceva tutto quello che doveva fare: si alzava alle sette e andava a Messa tutte le mattine, un chilometro e mezzo a piedi qualsiasi tempo facesse; se voleva davvero una cosa, rinunciava ad altre; se quello che si proponeva era un obiettivo spirituale, rinnegava il proprio corpo. In Quaresima beveva il tè senza latte, pesava quel poco che mangiava e per sei settimane non toccava dolci, sebbene li adorasse. Mandava soldi alle sue sorelle che lavoravano all'estero e poi di sera si rammendava le calze sul fungo di legno con uno zig-zag di filo marrone. Lavorava perché alla sua famiglia non mancasse niente, e finché era rimasta in vita a Cal non era mai mancato niente.

Una volta da piccolo gli era venuta l'otite (non aveva mai provato un dolore simile prima di allora, e nemmeno in seguito); mentre era a letto con la testa che gli pulsava appoggiata sull'asciugamano in cui era avvolta la boule dell'acqua calda, sua madre gli aveva detto accarezzandogli i capelli:

"Offrilo al Signore".

Quella era la sua risposta per tutto: trasformare dolore e sofferenze in un dono al Signore.

Cal non era sicuro dell'esistenza di Dio, ma gli venne in mente che quel modo di offrire le sofferenze potesse funzionare anche senza di Lui. Bastava offrirle a qualcun altro. "Io soffro per te e tu soffri per me." E magari l'altra persona non lo sapeva neanche, questo era il bello. Così era ancor più altruistico.

Adesso che si era ufficialmente trasferito lì aveva la sensazione di essere entrato in una nuova vita, di poter ricominciare da capo. Si sarebbe imposto una disciplina. Sentì che aveva il potere di dirigere la propria vita lungo le strade che voleva. Nel pacchetto gli erano rimaste sei sigarette; ne accese una e la fumò con un piacere decadente, sapendo che sarebbe stata l'ultima. Poi buttò il resto del pacchetto tra le fiamme.

Un'ora dopo decise di andare a letto, in parte per godersi il lusso del materasso e dei cuscini, in parte perché non aveva più sigarette. Dormiva da poco quando sprofondò in un nuovo terribile incubo. Diventavano sempre più frequenti e sempre più vividi. Ora che si sentiva al sicuro dal mondo, era qualcosa dentro la sua testa a minacciarlo.

Sognò di essere alla stazione di Roma ad aspettare qualcuno che arrivava con il treno. Tutte le persone sulla banchina erano vestite come in una recita scolastica del *Giulio Cesare*. Solo a poco a poco si accorgeva che avevano gli occhi completamente coperti dalle palpebre, come le statue romane, e ciò nonostante sembravano sapere perfettamente dove andavano. Cal guardava sull'altro lato della banchina e scorgeva Marcella, vestita come gli altri. Lei però aveva occhi che lo vedevano e chinava il capo per fargli capire che lo aveva riconosciuto. Marcella fissava i binari e Cal seguiva il suo sguardo. Sulle rotaie c'era un uomo in tuta da lavoro blu, sdraiato faccia a terra con le braccia aperte come sulla croce e i polsi inermi appoggiati sui binari scintillanti. Un treno si avvicinava lento, con il macchinista che si sporgeva dalla cabina; Cal si sbracciava per avvertire Marcella, ma lei sembrava indifferente alla sorte dell'uomo. Sorrideva. Cal si voltava per non vedere il treno che avanzava palmo a palmo. Sebbene non stesse guardando, sentiva sulla propria carne il metallo delle ruote che schiacciavano la cartilagine dei polsi contro le rotaie dritte come funi tirate. Il sangue sgorgava a fiotti dalle ferite, zampillando alto fino a sporcare il soffitto della stazione. Dalle travi di acciaio annerito e dal vetro curvo del tetto vittoriano grondavano come all'inizio di un temporale grandi gocce di sangue, che macchiavano e striavano di rosso le toghe bianche della gente. Ma la gente non ci badava. Allora Cal cominciava a urlare, e urlò fino a svegliarsi. Non capì dove si trovava finché giunse l'abbaiare dei cani a ricordarglielo. Era troppo spaventato per cercare di riaddormentarsi, e così si mise a sedere. Moriva dalla voglia di una sigaretta.

La sera dopo Marcella gli riportò i suoi vestiti.

"Entra," la invitò Cal, prendendoglieli dalle braccia. La camicia era ancora calda di ferro.

"Ti ho portato qualche libro," disse lei. Teneva in mano una specie di piccola culla di legno con dentro parecchi tascabili. "Una casa non mi sembra mai arredata senza libri."

"Grazie. Siediti." La fiamma bianca della lampada a gas proiettava grandi ombre sulla parete ogni volta che qualcuno si muoveva. Cal appoggiò il contenitore sulla cassettiera e Marcella si sedette sul bordo di una sedia.

"Ti stai ambientando?"

"Oh, sì. È fantastico."

Seguì un silenzio impacciato. Cal tossicchiò; la lampada emetteva il tenue ma costante sibilo della combustione.

"Hai poi letto *Delitto e castigo*?" gli chiese.

"No, è bruciato nell'incendio."

"Ah, già..."

Di nuovo scese il silenzio. Cal cercava freneticamente qualcosa di cui parlare per tenerla lì. Marcella stava seduta con le mani vuote appoggiate in grembo e strette l'una all'altra.

"La sera, dopo aver messo a letto Lucy, mi viene sempre una terribile tristezza," disse piano. "E farei qualsiasi cosa pur di uscire da quella casa."

Avrebbe voluto abbracciarla, scusarsi. Poi, con una certa eccitazione, si rese conto che non aveva avuto bisogno di inventarsi chissà cosa per farla restare: era venuta di sua spontanea volontà. Ma l'eccitazione svanì subito. Non era venuta per *lui* era venuta per scappare da qualcos'altro. Sarebbe stato lo stesso, chiunque avesse abitato lì. Cal attizzò il fuoco e vi appoggiò sopra un altro pezzo di legna.

"Non sopporto la tosse di mio suocero. Odio vedere la gente che soffre, mi infastidisco. Sarei stata una pessima infermiera."

"A me hai messo un bel cerotto!" disse Cal. Lei sorrise e sciolse l'intreccio delle dita. Fuori il vento sferzava gli alberi.

"Sarebbe stato meglio per lui morire subito. Così invece è mezzo morto e fa infelici tutti quelli che gli stanno intorno. Era un uomo tanto attivo per la sua età."

"Posso fare qualcosa per aiutarti?"

"No," rispose lei. Gli occhi le si fecero lucidi e abbassò il mento sul petto... Cal la sentì tirar su col naso, così si avvicinò e le mise una mano sulla spalla. Marcella si frugò in tasca alla ricerca di un fazzoletto con cui si soffiò il naso in modo sorprendentemente rumoroso.

"A volte mi sembro così senza cuore che mi preoccupo. Sto qui a piangere e piango per me stessa. Ogni tanto mi dico che... loro non sono miei parenti. Perché dovrei sentirmi *responsabile*? Ci sono giorni in cui vorrei solo prendere Lucy e andarmene."

"E perché non lo fai?"

"Non lo so. Forse prima o poi sparirò senza dire una parola. È successo tutto così in fretta. Mrs Morton non facilita le cose, non è semplice viverle accanto. Ha il morbo di Parkinson; per ora non è grave ma peggiorerà, e lo sa anche lei. Mi fanno una gran pena, tutti e due. Robert era il loro unico figlio."

Sentendosi a disagio Cal le tolse la mano dalla spalla e si sedette ai suoi piedi, sul bordo del camino.

"Probabilmente questa è stata la ragione principale per cui mi sono trovata un lavoro, per stare lontana dalla fattoria. È stato una specie di compromesso. Mi sono detta: continuerò a vivere qui a patto che mi lascino andare a lavorare."

"Vorrei poterti aiutare in qualche modo."

"Mi stai ascoltando. È già un modo di aiutarmi." All'improvviso si alzò. "Adesso devo andare."

"Sei sicura di star bene?"

"Sì, adesso va bene."

"Vuoi una tazza di tè o qualcos'altro?"

"Cos'è il qualcos'altro?"

"Niente."

Marcella allungò una mano a stringergli il braccio coperto dalla camicia e gli sorrise fievolmente.

"Grazie, Cal. A proposito, un'altra cosa..."

"Cosa?"

"Vuoi un passaggio per la Messa, domenica?"

"Non avevo fatto piani a così lunga scadenza."

Accettò comunque. La accompagnò alla porta e rimase a guardarla mentre correva via nella notte, con le mani infilate in tasca e la testa bassa a contrastare il vento. Tornato in casa prese a tastarsi le tasche in cerca delle sigarette, finché si ricordò che aveva smesso di fumare. Decise di uscire per andare a comprarsene un pacchetto allo Stray Inn e per tutta la strada si insultò nel suo francese maccheronico.

La domenica seguente Lucy ebbe il permesso di suonare il clacson e Cal arrivò di corsa sul vialetto. Senza bisogno di spiegazioni sapeva di non doversi sedere accanto a loro in chiesa, tanto più che aveva paura che qualcuno lo notasse. Andò quindi a mettersi in fondo, vicino alle porte, dove si radunavano tutti i "ragazzi". Era improbabile che Crilly andasse a Messa tanto lontano da casa, ma poteva avere amici anche lì.

Sulla strada del ritorno Marcella gli chiese se la chiesa gli piaceva. Cal rispose che era troppo linda e scintillante... troppo simile a un supermercato.

"E dell'affresco cosa pensi?"

"Quale affresco?"
"La crocifissione."
Si intonava all'essenzialità della chiesa: le figure erano semplificate al massimo... linee nere che sembravano tirate col righello, colori tenui.
"Niente da ridire."
"Oh, Cal, io penso che sia orribile. Sembra sterilizzato."
Cal si strinse nelle spalle. Non ne azzeccava mai una. Marcella riprese:
"Un'estate abbiamo fatto una gita con la scuola sul Reno e ho visto una crocifissione che ha fatto scomparire tutte le altre ai miei occhi."
"Le cose che si vedono in gita scolastica."
"No, non scherzare. Era un quadro, ed è stato il primo quadro che mi ha davvero toccata. È di Grünewald. Lo conosci?" Cal rispose di no. "Sono rimasta incantata a guardarlo per così tanto tempo che i professori mi hanno persa e sono dovuti tornare indietro a cercarmi. Ha dentro una sofferenza sconvolgente... non come il nostro affresco, che sembra uscito da un fumetto di Walt Disney. Ti interessa la pittura?"
"Quando andavo a scuola mi piaceva guardare i libri d'arte. Dicevano tutti che lo facevo per i nudi." Dal sedile posteriore Lucy gli fece eco:
"I mudi, i mudi." Marcella si voltò a guardarla e rise. Sul vialetto, con il motore acceso, disse a Cal che l'avrebbe aspettato per la Messa tutte le domeniche, se voleva, e che gli avrebbe anche dato un passaggio dopo la chiusura della biblioteca, quando andava a trovare suo padre.

Un piovoso giovedì sera Cal infilò un cambio di vestiti puliti in un sacchetto di plastica e chiese a Dunlop se poteva portarlo con lui in città. Il fattore borbottò qualcosa e malvolentieri acconsentì. Cal sapeva che non gli era per niente piaciuto il modo in cui era riuscito a installarsi nel cottage, e dato che era un'occasione unica Dunlop ne approfittò per vuotare il sacco. Il riscaldamento della macchina non funzionava e il fattore continuava a pulire sul parabrezza l'area sufficiente a vedere la strada. La pioggia cadeva obliqua nei fasci di luce degli abbaglianti.
"Questa maledetta situazione si risolverebbe da un giorno al-

l'altro se reintroducessero la pena di morte. Se solo lasciassero un po' di libertà all'esercito! Ma no, questo non lo possono fare, quello neanche... altrimenti finisce che ci si ritrovano *loro* in tribunale. Anche un topo, Cal, anche un topo ha il coraggio di mangiarsi le uova quando il cane è alla catena. E togliamogliela questa catena: che se la facciano sotto quei bastardi!"

"E come si fa a sapere chi sono?"

"Lo sanno benissimo, accidenti. E anche se ci vanno di mezzo un paio di innocenti, non è comunque meglio che lasciare il paese in mano all'Ira? Bisogna sradicarli, ecco cosa bisogna fare." Cercò a tentoni lo straccio per pulire il parabrezza. Nel buio Cal si strinse nelle spalle.

"Sai cosa farei se ci fossi io al potere?" disse Dunlop. Aspettò in silenzio finché Cal fu costretto ad ammettere che non lo sapeva. "Le celle di Long Kesh sono piene di noti esponenti dell'Ira, no?" Di nuovo attese che Cal rispondesse, per dare al proprio discorso l'apparenza di un ragionamento logico. "Be', ogni volta che sparano a un poliziotto o a un soldato io metterei *due* di quei bastardi al muro e gli farei saltare il cervello."

"Bello!"

"Siamo in guerra, ragazzo; mi sa che non l'hai ancora capito. A volte penso che Hitler abbia avuto l'idea giusta. Intendiamoci, difendeva la causa sbagliata, ma sapeva come si combatte una guerra. Che male faceva al mondo Robert Morton? Non ho mai conosciuto un uomo migliore, eppure adesso è morto."

"E ogni volta che uccidono un cattolico farebbe lo stesso con i prigionieri lealisti?"

"Forse. Ma è diverso: quelli sono estremisti esaltati. Impazziscono a vedere tante persone per bene uccise ogni giorno. Succederebbe lo stesso anche a te. Quando non ne puoi più di colpi bassi, prima o poi ti viene da girarti e buttare a terra l'arbitro."

"Ma poi cosa c'è di sbagliato nel volere un'Irlanda unita? Una sola isola, un solo paese."

"Per essere governati da Roma? Bella roba uno stato che prende ordini dai preti e dalle suore. Torneremmo al vudù, Cal, agli stregoni. La gente dell'Ulster sarebbe disposta a morire piuttosto che vivere sotto il giogo del cattolicesimo di Roma. Non bisogna dargli neanche una mano, se non vogliamo che si prendano il braccio... C'è del vero in quel proverbio."

Cal si sporse in avanti e con il dorso della mano pulì la sua metà di parabrezza.

"Dico sul serio, sai? Sarei disposto a *morire* piuttosto che lasciar succedere una cosa simile."
Cal non rispose: gli credeva.

Nel momento stesso in cui lo vide, Cal si accorse che suo padre era profondamente cambiato; in un paio di settimane era invecchiato di vent'anni. Stava seduto sulla poltrona di Dermot Ryan, con le braccia appoggiate fiaccamente sui braccioli. Aveva il viso dimagrito e quel poco di carne che gli era rimasta sulle guance scavate sembrava essersi afflosciata, scivolando verso il basso. Non sorrise neanche quando lo vide entrare.
"Come stai, Shamie?"
"Non tanto bene."
"Cosa c'è?"
"Ma... non so. Non so cosa mi succede." Si mise a piangere, le mascelle serrate come un pugno. "Non mi ero mai accorto di amare tanto quella casa, quel giardino."
Cal era rimasto lì in piedi, senza sapere cosa fare. Si lasciò alle spalle il padre singhiozzante e si avvicinò a Dermot Ryan che lavava i piatti nel cucinino.
"Da quanto va avanti così?" gli chiese.
"Ha cominciato un paio di giorni dopo l'incendio. Mi sta facendo diventar matto."
"È sempre lo stesso?"
"Quasi sempre."
"È stato dal dottore?"
"Dice che non è malato. Va a lavorare tutti i giorni."
Cal tornò da suo padre.
"Sei malato, Shamie. Vai dal dottore, è gratis."
"So già cosa mi direbbe," rispose lui. Gli era cambiata persino la voce, aveva perso tutta la sua forza e tremolava come quella di una vecchia che si commisera. "Scuotiti da questo stato, mi direbbe, e io non ce la faccio. Niente mi interessa più, Cal."
"Ti darà delle pillole e vedrai che ti sentirai meglio. Novità per la casa?"
"Nessuna. Secondo me aspettano che arrivi all'età della pensione, dopodiché mi comunicheranno che posso restare qui." Aveva smesso di piangere.

"Vedi che sei ancora capace di scherzare?" ribatté Cal. "Andrai dal dottore domani?"

"Cosa gli devo raccontare?"

"Digli che sei depresso."

"E chi non lo è di questi tempi..."

"Mi prometti che ci andrai? Fallo per me!"

Shamie annuì con aria assente. Cal chiese al cugino il permesso di farsi un bagno e si offrì di pagargli l'elettricità per il boiler, ma Dermot disse che non avrebbe accettato un soldo. Tirò fuori una sigaretta per Shamie e padre e figlio fumarono insieme.

"Come vanno le cose al lavoro?" gli domandò.

"Come al solito."

"Crilly lo vedi?"

"Ogni volta che lo incrocio vuole sapere dove sei. Questa storia non mi aiuta, Cal. Sono preoccupato per te."

"Che cosa gli hai detto?"

"Niente. Gli ho detto che non so niente. E che cosa so? Dove stai, Cal?"

"È meglio che nessuno lo sappia. Al momento non muoio dalla voglia di vedere Crilly."

La cenere della sigaretta cadde sulle ginocchia di Shamie, ma lui non la scosse via.

"Non dirgli che stasera mi hai visto."

"È venuto a cercarti anche un signore, qui da me," intervenne Dermot. "Un certo... Hetherington, un nome così. Un maestro con gli occhiali."

"Skeffington?"

"Proprio lui. Un tipo davvero gentile."

Mentre aspettava che l'acqua fosse abbastanza calda, Cal andò in bagno e si regolò la barba scura con il rasoio di Dermot. Era la prima volta che si guardava allo specchio da settimane e si sorprese di se stesso: la barba gli stava bene. La gente aveva sempre detto che era un bel ragazzo e ora, a giudicare dal proprio riflesso, ci credeva quasi anche lui. Doveva aver preso da sua madre, perché Shamie non era certo un campione di bellezza.

Immerso nella vasca da bagno pensò con preoccupazione a suo padre. Doveva correre il rischio e tornare più spesso in città per passare a trovarlo. Forse il Valium lo avrebbe aiutato, ammesso che Shamie fosse davvero andato dal dottore. Cal si chiese quanti erano crollati come lui per colpa della situazione; ridotti a fantasmi tremanti di se stessi. I bastardi che avevano bruciato loro la casa avrebbero trionfato se avessero saputo che erano riusciti anche a piegare lo spirito di Shamie. Si infilò i vestiti puliti, si pettinò i capelli ancora bagnati e provò un colpevole senso di benessere. Prima di andarsene con la borsa di plastica piena di panni sporchi, bevve una tazza di tè con i due vecchi.

"Quando torni?"

"Presto. Però tu domani vai dal dottore, hai capito?"

"Sì," rispose Shamie e ricominciò a piangere in silenzio. "Ci andrò. Così non ce la faccio più."

Cal serrò le labbra e se ne andò preoccupato. Si tirò sulla fronte il cappuccio della giacca a vento e scelse strade secondarie. Sebbene piovesse, non osò entrare nella biblioteca ben illuminata dietro le grandi finestre. Prima di uscire dall'ombra aspettò che Marcella spegnesse tutto e chiudesse la porta.

"Oh, eccoti qui!" esclamò lei. "Pensavo che non venissi più."

"Scusa il ritardo, ma mio padre non sta bene."

Mentre andavano alla macchina, le raccontò del cambiamento di Shamie e lei disse che sapeva benissimo come doveva sentirsi. Aveva smesso di piovere e il cielo si stava sgombrando dalle nuvole.

Marcella guidava e Cal la guardava guardare la strada. Il ricordo della sofferenza di Shamie era ancora abbastanza vivido da farlo sentire in colpa per la felicità che provava accanto a lei. Si disse che suo padre avrebbe superato la crisi dopo essere stato dal dottore; preoccuparsi non serviva. Vide la mano di lei con la vera al dito cambiare agevolmente le marce. Moriva dalla voglia di una sigaretta, ma si dominò non volendo inquinare l'aria pervasa del suo profumo dolce. Marcella era silenziosa e Cal gliene domandò il motivo. Lei rispose che era il pensiero di tornare alla fattoria quando Lucy non era sveglia ad aspettarla.

"Cosa ne diresti di andare a bere qualcosa?" propose Cal.

Sulle prime Marcella rifiutò: l'aspettavano a casa subito dopo l'orario di chiusura della biblioteca. Non che *dovesse* tornare, ma se tardava si sarebbero preoccupati. Poi si lasciò un po' andare e disse che sì, perché no, aveva tempo per un bicchiere veloce.

Entrarono allo Stray Inn e quando Cal la vide stringersi nella giacca di montone, nonostante fossero seduti accanto al caminetto elettrico con le finte fiamme gialle, pensò che si inseriva perfettamente nello scenario che la circondava. Disse che prendeva un

Martini e lui prese nota mentalmente di comprarne una bottiglia da tenere al cottage, poi ordinò una birra e un whiskey per sé. Marcella disse "Salute", e Cal rispose "*Slainte*".

"Mi sento un po' in colpa... come se stessi bigiando," osservò lei.

"Perché?"

"Forse perché mia suocera mi tratta come una ragazzina. Io mi ribello, ma è sempre lei ad avere l'ultima parola."

"È una strana donna."

"Puoi ben dirlo. E tu non la conosci..."

"Perché mi ha assunto?"

"Non lo so. Si sono sempre considerati dei protestanti liberali... non hanno nemmeno fatto troppe storie quando Robert ha deciso di sposarmi. In realtà l'opposizione più forte è venuta dai miei." Si lanciò in un'imitazione: "'Ma perché mai con tutta l'Irlanda cattolica che c'è ti devi sposare un protestante?' Del resto, adesso che Robert è stato ucciso, è così tipico di sua madre decidere di assumere un cattolico. Per provare al mondo che non è una fanatica".

Nel bicchiere davanti a lei era rimasta solo una fetta di limone.

"Accidenti, hai fatto in fretta," notò Cal e cercò di offrirgliene un altro, ma Marcella insistette che toccava a lei.

"Hai mai bigiato?" le chiese.

"No. Ma sono sicura che la sensazione è questa."

"Scommetto che eri un genio a scuola."

Lei negò, ma indagando un po' di più Cal scoprì che aveva fatto un corso per bibliotecari all'università di Glasgow. Aveva lavorato per un anno e poi era arrivato il matrimonio. Era sposata con Robert da cinque anni quando lo avevano ucciso. Cal fece un conto approssimato della sua età e concluse che tra loro c'erano nove impossibili anni di differenza. Marcella lo guardò con i suoi occhi dolcissimi e sembrò leggergli nel pensiero.

"Stare con te mi fa bene, Cal; mi fai sentire più giovane. È proprio vero che dovrei uscire un po' più spesso."

Cal stava per chiederle di uscire con lui, ma non trovò le parole. Lei lanciò un'occhiata all'orologio e prendendo la borsa, disse:

"Guarda come è tardi!"

"Non ti agitare: sei grande ormai. Una volta tanto concediti una pazzia."

"Strano che tu me lo dica... In questi giorni la favola preferita di Lucy è Raperonzolo, gliela devo leggere tutte le sere. La conosci?
"No."
"È la storia della principesssa Raperonzolo, che vive rinchiusa in una torre, e l'unico modo in cui il suo innamorato può raggiungerla è scalare la sua lunghissima treccia. Ogni notte, quando arriva sotto la torre, lui le grida: Marcella si mise la mano intorno alla bocca, – 'Raperonzolo, Raperonzolo, butta giù la treccia!' E ogni volta che lo leggo mi sembra che voglia dire... lasciati andare, fai una pazzia per l'amor del cielo. E mi dico che sono proprio io."
"E perché non lo fai?"
"Non c'è spettacolo peggiore di quelli che *cercano* di divertirsi. Per anni li ho visti a Portstewart: famiglie con gli stivali di gomma e i sorrisi stampati. Credimi, Cal, è meglio andare."
Nel buio del parcheggio, lontano dalle luci del pub, Marcella alzò gli occhi verso il cielo limpido. Avevano bevuto così in fretta che si sentivano tutti e due un po' brilli.
"Che splendida notte," disse lei. "Sarebbe la sera ideale per sdraiarsi a contare le stelle."
Cal guardò in su. "Senza preoccuparsi di sbagliare la somma."
Marcella rise di quella stupidaggine quasi fino a casa. Con due Martini in corpo, le fece notare Cal, era un pubblico perfetto.

Il bel tempo resse, e sabato pomeriggio nel cielo di un azzurro invernale splendeva un sole freddo. Gli alberi erano ormai quasi spogli e gli storni emettevano un cinguettio elettrizzato a cui univano un suono che Cal riusciva ad associare soltanto a una specie di fischio di ammirazione. Era accoccolato davanti alla finestra, intento a sostituire il cartone con un vetro, quando sentì delle voci che si avvicinavano: quella di Marcella che parlava con chiarezza e quella farfugliata di Lucy. Smise di lavorare e tese l'orecchio ad ascoltarle. Arrivavano per la strada più lunga, dietro il muro su cui crescevano i rovi, e Marcella chiacchierava con la tenera serietà delle mamme. Sua figlia disse qualcosa che la fece ridere. Cal guardò fuori dal pannello senza vetro e vide la bambina in piedi sul muretto e la madre che tendeva le braccia, aspettando di prenderla. Quando la piccola saltò, Marcella la accolse e la fece girare in tondo prima di rimetterla per terra. Si presero per mano e cominciarono ad avanzare tra i rovi, continuando la loro conversazione. Ad un certo punto, senza accorgersi di Cal, si fermarono. Marcella schiacciò il naso di Lucy con l'indice e fece un verso simile a un ronzio. La bambina scoppiò in un risolino acuto. Cal si sentì come si era sentito quella sera sul tetto fuori dalla finestra del bagno: era una scena che non avrebbe dovuto vedere, di cui lui non era parte. Si girò e si mise a sedere con in mano la lastra di vetro. Era straordinario com'era trasparente eppure verde scuro sui lati incisi. La stessa differenza che c'è tra un secchio d'acqua di mare e il mare stesso.

"Cal?" lo chiamò la voce di Marcella, e il suo viso fece capolino dal telaio vuoto. "Sei presentabile?"

"Faccio del mio meglio," rispose lui.

"Cal?" pigolò la voce di Lucy per imitare quella della mamma, mentre Marcella la sollevava per farle guardare dentro dal riquadro più basso della finestra.

"Ciao," la salutò Cal.

"È una bellissima giornata. Sei troppo occupato o vuoi venire con noi a raccogliere le more?"

"Datemi un minuto per stuccare la finestra."

"Questa sì che è strana."

"Perché?"

"Perché mai vuoi stuccarla?"

"Io avrò uno strano accento, ma tu non ne sai niente di vetri!"

Lucy annusò lo stucco e disse:

"Puzza di cacca".

"Vado a prendere qualcosa in cui mettere le more. Ci vediamo alla fattoria."

"D'accordo."

E si incamminarono, Marcella leggermente piegata ad ascoltare quello che la bambina aveva da dire, finché le loro voci scomparvero dietro il muro.

Attraversarono i campi per raggiungere un viottolo che separava la proprietà dei Morton da quella dei vicini. Lucy si era ormai abituata a Cal e camminava tra loro due, tenendoli per mano. Nella mano libera Marcella portava un contenitore. Ogni tanto Lucy sollevava i piedi e loro la facevano saltare come un ranocchio.

"Adoro le giornate così," disse Marcella. "L'aria frizzante... è come guardare tutto attraverso una lente di ingrandimento." Cal annuì. Quando giunsero all'estremità del campo, la vista spaziava per chilometri e chilometri.

"Non è stupendo?" Di nuovo Cal annuì. "Ti limiti a farmi cenno di sì. Questo spettacolo non ti risveglia niente dentro?" La campagna, di un intenso verde invernale, correva fino alle montagne azzurre dello Slieve Gallon. Linee casuali di alberi e siepi tagliavano i campi; qua e là si scorgeva il rosso di un fienile o il bianco di un muro, e in lontananza il vetro di una finestra luccicava come un diamante. Un gruppo di mucche, girate tutte dalla stessa parte, era intento a brucare un prato palmo a palmo.

"Per essere sincero, no," rispose Cal. "Sono nato qui, e questo è quello che ho visto per tutta la vita. Somiglia troppo a un'immensa fabbrica. Soldi, soldi! A me piace il Donegal, lì non cresce niente: solo spiagge, brughiera e montagne."

Scavalcò un cancello e prese la bambina dalle braccia di Marcella, poi le tese la mano per aiutarla ad arrampicarsi. Mentre saltava giù, tremò leggermente per lo sforzo.

"Mi piacerebbe andare a vivere in Italia," disse.

"Per via della situazione?"

"No, non è tanto questo. Il fatto è che l'Italia è un paese meraviglioso."

"Non c'è niente come Roma!" commentò Cal, ma lei lo ignorò.

"Il sole, i suoni, gli odori... è tutto diverso. Ci sei mai stato?"

"No, però sono stato al Croke Park di Dublino per i campionati d'Irlanda."

Marcella sorrise; aprì il contenitore e ne tirò fuori uno più piccolo. Diede il più grande a Cal, poi aprì quello che le era rimasto e ne estrasse uno ancora più piccolo.

"Quanti ne hai lì dentro?"

"Sono tutti qui!" Assegnò l'ultimo contenitore a Lucy e tutti e tre cominciarono la raccolta tra il disordinato groviglio di rovi sparsi sul bordo del sentiero. Le prime more caddero con un tonfo attutito sul fondo del contenitore di Cal. Come una famiglia di animali pascolavano lungo i cespugli, tenendosi vicini.

"In un certo senso gli italiani hanno molto in comune con gli irlandesi: la cordialità, la religione, la famiglia... e il modo in cui si ammazzano tra loro. Come è possibile che gente tanto ospitale sia anche così violenta?"

"Non chiederlo a me!"

"A Glasgow sono tutti così affabili... come i mafiosi. Gli inglesi invece sembrano merluzzi surgelati, eppure a Londra non ci si sente mai in pericolo."

"Perché sono tutti qui in uniforme a terrorizzare noi."

"Ce l'hai davvero con gli inglesi."

"Sì."

"Io credevo che questa storia non mi riguardasse. Chiamarsi D'Agostino in un certo senso ti mette al di sopra delle parti. Ma quando ti uccidono il marito, volente o nolente la faccenda ti riguarda. Tu cosa ne pensi?"

"Penso che vorrei vedere l'Irlanda unita, ma non ho ancora deciso qual è il metodo migliore per arrivarci."

"Mi dispiace."

"Per cosa?"

"Per l'Irlanda. È come un bambino: pensa solo al passato e al presente. Il futuro ha smesso di esistere per questo paese."

"L'Irlanda avrà un futuro solo quando gli inglesi se ne andranno."

Avevano il dorso delle mani tutto graffiato dalle spine e la punta delle dita macchiata di viola. Lucy aveva raccolto tre o quattro more dure e ancora verdi, così Cal di nascosto le versò nel contenitore metà delle sue. Sembrava che le more più grandi facessero apposta a cadere nel groviglio di rovi non appena le toccavano. Continuarono a raccogliere per una mezz'ora, chiacchierando e scherzando. Più Cal si sentiva felice, più diventava triste. Voleva confessarle tutto, piangere ed essere perdonato. Si immaginò Marcella che lo abbracciava e lo consolava; poi si immaginò quello che sarebbe successo realmente, e il pensiero lo terrorizzò.

"Hai mai fatto qualcosa di... veramente brutto?" le chiese. Lei aggrottò la fronte e disse:

"Sì, mi sono appena punta un dito." Si succhiò il polpastrello e poi glielo tese per fargli vedere la perla rossa di sangue.

"Forse non è una domanda da fare a una signora."

"No, perché?" Ci pensò su un po', sempre succhiandosi il dito. "Sì, un sacco di brutte cose."

"Se sono un sacco non possono essere poi così brutte. Ad esempio?"

Marcella si sedette su un pezzo del muretto su cui non crescevano rovi. Un po' più in là sul sentiero Lucy parlava da sola.

"Una volta un ragazzo mi aveva dato un appuntamento." Raccontava lentamente, come se fosse una storia importante per lei. "Ero ancora a Portstewart. Credo mi piacesse perché era molto timido. L'ho raccontato alle mie amiche e loro hanno cominciato a prenderlo in giro. Quelle più maliziose non la finivano mai di ridere e allora io gli ho fatto il bidone. Credo sia stata una brutta cosa... andare col branco." Si chinò in avanti a raccogliere le more che le stavano a portata di mano. Cal annuì. Era peggio di come se l'era immaginato: l'irrilevanza di quel peccato gli rendeva impossibile confessare il proprio.

"E sono terribile con Lucy," riprese lei tornando a guardarsi il dito che si era punta. "Così egoista! E tu? Hai mai fatto qualcosa di davvero brutto?"

"Sì." Tirò un profondo respiro. Marcella smise di raccogliere le more; lo guardava e aspettava. "Le solite cose," tagliò corto Cal.

"Sarebbe a dire?"

"Peccati della carne."

"Cose che non si fanno... ma niente di brutto."

"E una volta abbiamo pestato un ragazzo... nel gabinetto della scuola. Poi mi è sembrata una brutta cosa. Due contro uno."

Era come scivolare giù lungo una parete di ghiaccio, cercando di scavarsi un appiglio con le unghie. Ma invece di far presa, le unghie si piegavano. Lucy cominciò a mugolare e si avvicinò a sua madre.

"Ancora violenza," disse Marcella. "Mi spaventa l'idea che ci siano persone che vogliono fare fisicamente del male a qualcun altro. Immagino che a scuola sia la regola: i giovani maschi della specie che devono far mostra di sé per conquistare il comando del branco. Ma poi le persone dovrebbero crescere!"

"Già." Cal giaceva sul fondo del precipizio, sepolto sotto la valanga che aveva provocato da solo. Lucy aveva appoggiato per terra il contenitore e, attaccata alla gamba di Marcella, cercava di attirare la sua attenzione piagnucolando.

"È stufa, povera. Credo sia meglio tornare indietro. Abbiamo raccolto abbastanza more per cinque barattoli di marmellata."

"Solo?" protestò Cal. "Allora non ne valeva la pena."

"Aspetta di assaggiarla! Vieni, Lucy."

La bambina rimase ferma accanto al muro, imbronciata. Marcella si avviò lentamente e allungando la mano dietro la schiena prese quella di Cal. Fu un gesto fatto soprappensiero e il contatto durò solo un secondo prima che lei si accorgesse dell'errore. Lasciò la presa con aria imbarazzata.

"Scusa, Cal. Pensavo che fosse Lucy."

"Era bello," rispose lui e incrociando il suo sguardo, riuscì a fissarla negli occhi finché Lucy arrivò di corsa. Trasferirono le more dal contenitore della bambina al più grande per non correre il rischio che le rovesciasse.

Ad un tratto l'aria fu squarciata da un'esplosione. Cal si sentì addosso l'onda d'urto come l'eco cupa di una grancassa. Marcella lanciò un urlo e si buttò a terra a proteggere Lucy, che scoppiò in un pianto implacabile.

"Gesù, cos'è stato?"

Marcella fece rialzare la bambina e l'abbracciò. Cal si guardò intorno: a tre o quattro campi di distanza si alzava una colonna di fumo bianco.

"È meglio che vada a vedere."

Con voce tremante, Marcella disse che lei pensava a riportare a casa Lucy.

"Stai attento!" gli gridò dietro.

Cal scavalcò una recinzione e prese a correre come poteva tra le stoppie. Era senza fiato quando arrivò al campo da cui aveva visto alzarsi il fumo. Si fermò a guardarsi intorno: il bestiame si era radunato all'estremità opposta del prato, ma aveva ripreso a brucare. Vide qualcosa tra l'erba accanto allo steccato, e sulle prime pensò che fosse una mucca. Si fece largo cautamente tra i cespugli, avanzando in quella direzione. Era una mezza vacca: mammelle e quarti posteriori con i muscoli rosso vivo che vibravano ancora. Cal si immobilizzò, terrorizzato di poter mettere un piede su un'altra mina. Si guardò in giro e appeso a un albero tra le siepi vide qualcosa di rosso. Socchiuse gli occhi e riconobbe uno dei cartelli di latta con i moniti del Predicatore:

"Il Regno di Dio è dentro di voi".

Sull'erba c'era pochissimo sangue. Cal si voltò, sperando di non trovare il resto della bestia, e si incamminò verso la fattoria dei Morton. Mentre passava accanto alle mucche, vide le chiazze bianche del loro mantello macchiate di un rosso intenso. Sentì il rumore dei loro denti che afferravano i ciuffi d'erba, li strappavano e li masticavano. Vomitò due volte nel fosso melmoso prima di trovare la forza di saltarlo.

5

Due barattoli di marmellata di more, con la data accuratamente scritta sull'etichetta, aspettarono per sei settimane sulla mensola prima che Cal trovasse la forza di aprirne uno. L'altro lo portò a Shamie. Suo padre era sempre più depresso e aveva smesso di lavorare. Se ne stava quasi tutto il giorno seduto sulla poltrona di Dermot a fumare con mano tremante e a fissare dalla finestra sul retro il muro grigio del cortile. Cal trovava difficile parlargli: ogni volta che accennava a mostrarsi irritato dal suo comportamento, Shamie scoppiava in lacrime. Un giorno, uscendo da casa di Dermot, dovette infilarsi in un giardino per evitare la madre di Crilly, e dopo quell'episodio decise che per un po' non si sarebbe arrischiato in città.

Ora che il tempo si era messo al freddo e alla pioggia, aveva poche occasioni – o scuse – per vedere Marcella. Un paio di volte andò a bussare alla porta della cucina con il pretesto di farsi prestare qualcosa, ma fu sempre Mrs Morton ad occuparsi di lui. Una sera dopo cena comparvero sul muro della sua stanza dei guizzi di luce; aveva completamente perso di vista il calendario e soltanto quando guardando fuori vide cascate di scintille rosse si ricordò che era la notte di Halloween. Andò alla fattoria per unirsi a Mrs Morton, Marcella e Lucy. I razzi partivano con un ronzio e solcavano sibilanti la notte; uno che doveva essere costato parecchio si aprì sopra le loro teste in una fontana di bianco, rischiarando per un attimo tutto il cortile. La luce illuminò lo stupore sui tre volti, ma Cal guardava solo quello di Marcella. Alle sue spalle tuttavia non poté fare a meno di scorgere il viso pallido di Mr Morton che osservava lo spettacolo da dietro una finestra al pianterreno. Il giorno dopo, attraversando il cortile, Cal mise il piede sul bastone annerito e sul tubo bruciato di un fuoco d'artificio, mezzi sepolti nel fango.

L'unico momento in cui era sicuro di vederla era la domenica mattina, quando lei gli dava un passaggio per la Messa. Durante il tragitto Marcella parlava come se stesse cercando di stipare tutto in quel breve lasso di tempo. Cal avrebbe voluto che guidasse piano, avrebbe voluto che Lucy si rannicchiasse sul sedile posteriore e si addormentasse. A volte Marcella si fermava sul vialetto accanto al cottage e diceva a Lucy di correre a casa mentre lei finiva di parlare. Cal adorava quei momenti: teneva la portiera della macchina mezza aperta, facendo finta di voler scendere, e l'ascoltava. Una domenica era andata avanti a chiacchierare per un quarto d'ora con il motore acceso; gli toccava il braccio per sottolineare il punto del discorso e quando lui faceva una battuta gli dava per gioco un pugno sulla spalla. Poi una mattina, come si trattasse di un segreto, gli confidò che sua suocera sarebbe stata via una settimana.

"Dove va?"

"A Belfast. Papà ha bisogno di un'altra operazione ai polmoni e degli amici si sono offerti di ospitarla, così potrà stargli vicino."

"E chi si occuperà di Lucy mentre tu sei al lavoro?"

A quella domanda Marcella gli sorrise.

"È tutto sistemato: Mrs Mc Glinchy, in città. Ma non era scontato che tu ci pensassi."

Il complimento e lo sguardo caldo che gli aveva rivolto lo imbarazzarono.

All'ora di pranzo, mentre fumava una sigaretta, Cal vide arrivare l'ambulanza. Il vecchio Morton venne spinto fuori di casa su una sedia a rotelle seguito da Mrs Morton, avvolta nel cappotto e con una valigia in mano, che si dava un gran da fare intorno agli infermieri; infine anche lei salì sulla lettiga accanto al marito, e l'ambulanza partì, lasciando la casa vuota.

Alle tre Dunlop e Cal stavano bevendo una tazza di tè nella cucina della fattoria quando Cyril disse:

"Forse oggi potremmo staccare presto... cosa ne dici, Cal?"

"Non c'è un granché da fare, no?"

"No."

Dunlop lo lasciò in cucina a versarsi un'altra tazza di tè.

"Non dimenticarti di chiudere la porta; basta che togli il fermo."

Cal sentì Cyril che metteva in moto la macchina e si allontanava. Ed eccolo lì, in casa di Marcella. Nell'angolo il frigorifero ronzava; il termostato scattò e l'apparecchio si spense con una vibrazione. Il silenzio in cui era avvolta la fattoria aveva un che di misterioso. Cal non vedeva l'ora che Marcella rientrasse; il desiderio di confessarle il suo amore lo tormentava, ma sapeva che quel sogno non sarebbe mai diventato realtà. Per parlare d'amore occorreva essere aperti e sinceri; lui invece, con quello che aveva fatto, le mentiva costantemente. Quello che aveva da lei, lo doveva rubare. Ripagava la sua sincerità con l'imbroglio. Marcella lo ossessionava... non riusciva ad arrivarle abbastanza vicino. Chiuse gli occhi e ricordò il suo braccio alzato e il seno teso in bagno, il contatto con la sua anca in chiesa, il modo in cui lei gli aveva preso per sbaglio la mano e il lungo, intenso sguardo che si erano scambiati subito dopo. Eppure se solo le avesse lasciato intendere che l'amava, con tutta probabilità sarebbe scoppiata a ridere fragorosamente, in quel suo modo inconfondibile. O peggio ancora, gli avrebbe risposto qualcosa di candido, ad esempio che si sentiva lusingata. Se la immaginò come la Bella Addormentata, sprofondata in un coma artificiale; fantasticò di baciarla e di toccarla, ma lei non reagiva. Si vide accogliere nella mano la forma arrotondata del suo seno sotto la camicetta di cotone e sentì il suo calore vivo. Era lì a sua disposizione, poteva guardarla e toccare qualsiasi parte del suo corpo; non avrebbe mai saputo che era stato lui, Cal, a massacrarle il marito. Aprì gli occhi: fuori era ancora giorno. A volte in presenza di Marcella si sentiva un po' come il Gobbo di Notre-Dame... come se l'orrore di quello che aveva fatto fosse stampato sul suo volto. Il marchio che portava sulla fronte non solo non sarebbe mai più scomparso, pulsava quando lei gli era vicina. Lì, da solo, poteva abbandonarsi al proprio orrore. Al diavolo, e perché no? Se non gli era dato di averla come la Bella Addormentata, poteva almeno violare gli oggetti che la circondavano. La sua impotenza era lì: una presenza concreta da annusare e toccare.

Si alzò, passò nell'ingresso e rimase in ascolto; il pendolo tichettava lento e solenne. Salì le scale coperte dal tappeto e individuò la camera di Marcella, sul davanti della casa. Il pianerottolo era buio, ma quando aprì la porta un rettangolo di luce andò a illuminare la parete alle sue spalle. Il sole era sbucato da dietro una nuvola e splendeva sdraiato appena sopra l'orizzonte, inondando la stanza di un giallo invernale. Non c'erano dubbi che fosse la *sua* camera: accanto alla finestra c'era una fila ordinata di zoccoli del Dr. Scholl, e appoggiato a una parete il letto matrimoniale, rifatto con grande precisione. Cal andò a toccare il cuscino dalla parte della finestra; non sapeva perché, ma era sicuro che fosse quello che usava. Vi affondò la faccia e respirò il profumo di Marcella. Sebbene sapesse che non c'era nessuno in casa, si avvicinò in punta di piedi alla toletta su cui era allineato uno schieramento di boccettini di cosmetici. Colse la propria immagine riflessa nello specchio e si voltò immediatamente dall'altra parte. Perché lo faceva? Nel tentativo di arrivarle più vicino si metteva da solo un ostacolo in più sulla strada. Poteva mai ammettere di aver curiosato nella sua stanza? L'accappatoio color limone era buttato su una sedia di vimini e Cal strinse nella mano la spugna. Sollevandolo vi scorse sotto il suo reggiseno: accarezzò il pizzo delicato, lo prese in mano e osservò le coppe vuote che disegnavano la splendida forma del suo petto. Abbandonati sulla sedia, in una specie di otto tutto arrotolato, c'erano i suoi slip. Cal immaginò la noncuranza con cui si era spogliata la sera prima, il modo in cui li aveva ignorati mentre si vestiva in fretta per andare a lavorare quella mattina, e vi sprofondò il viso, trattenendo a stento le lacrime. Esplorò l'armadio con i vestiti allineati e il fondo disordinatamente coperto di scarpe: tacchi a spillo con il cuoio ancora nuovo in corrispondenza dell'arco del piede e il resto della suola annerita dall'uso. Un paio era fatto solo di qualche fascetta dorata. Poi Cal si vide nello specchio lungo fissato all'interno dell'anta e la spinse disgustato, chiudendo dentro la sua immagine. Sotto la finestra c'era una scrivania ingombra di libri e carte. Il sole toccò la collina all'orizzonte sotto lo Slieve Gallon, ma continuò a proiettare una luce brillante colorando la stanza di un giallo dorato. Cal lesse i titoli sulla costa dei libri, poi ne scelse uno e lo sfogliò con il pollice. Sulla prima pagina c'era una dedica scritta di fretta, in biro blu: "A Marcella con amore al posto della cena, Robert". Lo riappoggiò esattamente dove lo aveva trovato. La scrivania aveva due cassetti, il primo era pieno di pennarelli, graffette e puntine; nel secondo Cal trovò un quaderno alto con la copertina blu scuro venata come legno. Sulla pagina di intestazione lesse:

Questo quaderno appartiene a
Marcella D'Agostino, IV A
Convento di Portstewart

Voltò la pagina e trovò scritto in rosso a grandi lettere: PRIVATO. Il foglio seguente era coperto di una fitta calligrafia inclinata, calligrafia da convento. La data, accuratamente annotata, era 4 agosto 1962; a quel tempo Marcella era più giovane di lui. Lesse qualche riga, ma non riuscì a capirci niente.

Sono andata con Bernadette nella stanza di Sorella Assumpta. La solita s.f. da proffi. Ci ha offerto un'aranciata e ci ha fatto una predica con voce astrocalittica: è stato tutto molto Jonathan.

Cal sfogliò il quaderno tenendo d'occhio le date. Più passava il tempo, più le annotazioni si facevano brevi. Si chiese se ci fosse qualcosa anche su di lui e tutto eccitato andò a cercare l'ultima pagina scritta: risaliva a più di un anno prima. Riprese a leggere i passaggi più recenti.

Domenica 16 marzo

Oggi il cielo era terso e l'aria frizzante di primavera. Siamo saliti sullo Slieve Gallon. Dalla cima si gode un panorama vastissimo: quasi tutto il lago Neagh e la campagna circostante, illuminati dal sole con le ombre delle nuvole che si spostano rapide. Come sempre Robert è rimasto in macchina a leggere il giornale. Io e Lucy invece abbiamo giocato ad ascoltare. Stiamo ferme e zitte, e cerchiamo di riconoscere i suoni che sentiamo. Sulla montagna perfetto silenzio, neanche il richiamo di un uccello... solo il leggero mormorio del vento. Ieri nel bosco abbiamo sentito tanti uccelli diversi cantare, un cane che abbaiava in lontananza, i corvi e le macchine sulla strada. Lucy sa dare il nome giusto alla maggior parte dei suoni. Che differenza quando la sera Robert mi ha portato al Coresters' Club. Il complesso di musica country suonava a un volume assordante, parlarsi era impossibile. Le persone se ne stavano sedute a riempirsi di alcol, isolate dal baccano. Sono tutti esseri disgustosi, pieni di sentimenti disgustosi. E Robert non è migliore. Per tornare a casa ho dovuto guidare io.

Cal continuò a sfogliare le pagine all'indietro.

Venerdì 2 novembre

Ieri sera a Birmingham sono morte 19 persone e 200 sono rimaste ferite. Una strage di innocenti... senza nemmeno la scusa inaccettabile del pub frequentato da soldati. Credevo che non saremmo mai arrivati al livello di atrocità dello scontro tra arabi e israeliani. Mi vergogno profondamente del mio paese, d'ora in poi mi presenterò come italiana. La violenza funziona un po' come gli anticorpi: presa a piccole dosi si accumula finché nemmeno gli avvenimenti più raccapriccianti ci fanno più effetto. Ma la gente di Birmingham questi anticorpi non ce li ha e deve soffrire orribilmente.

Sabato 12 luglio

Oggi sono andata a vedere la parata degli orangisti. Non sono una cattolica bigotta, ma trovo disgustosa tanta ipocrisia. Il corteo è aperto dai predicatori che gridano le loro minacce di morte e dannazione ai peccatori. Segue una folla tracotante, che tira fuori tutta la sua animalità: dervisci! L'hanno definito "l'ultimo festival folk d'Europa", ed è proprio così, dato che davvero credono a ciò per cui sfilano. È tutto così negativo: marciano contro Roma e il Papa. L'odio che nutrono non è una finzione. I loro stendardi sono belli a vedersi, così semplici e colorati. Picchiano con tanta forza sugli enormi tamburi che il suono ti rimbomba dentro come i battiti del cuore dopo una corsa. Intorno al corteo l'aria pulsa come il sangue nelle tempie quando si ha paura. Ho visto Cyril Dunlop che marciava impettito come un gallo. È un uomo grande e grosso, ma ha il cervello di un bambino.

Si era fatto troppo buio per leggere e Cal non voleva correre il rischio di accendere la luce: la finestra della camera si vedeva dalla strada, e Marcella poteva tornare da un momento all'altro. Sprofondò la faccia nel cuscino, poi lo sprimacciò per ridargli la forma e tornò da basso a lavare le tazze e mettere in ordine la confusione che avevano lasciato. I fari di una macchina falciarono il cortile e si puntarono sulla finestra della cucina. Cal sentì la voce di Lucy e le portiere della macchina che sbattevano. Andò ad aprire la porta e Marcella entrò portando una scatola piena di spesa.

"Dai qua," disse Cal.

"No, quella pesante è ancora in macchina. Me la prendi tu?" Cal portò dentro l'altro scatolone e lo appoggiò sullo scolatoio. Ora Marcella aveva tempo di sorridergli. Lucy era corsa via in un'altra stanza.

"Sarà strano avere la casa tutta per me." Senza scomporsi lanciò un urrà, e Cal rise.

"E tutta questa spesa per chi è?"

"Ho cominciato a far provviste per Natale."

"È ora che vada."

"Oh, Cal, ti piace la cucina italiana?"

"Non lo so. Credo di non averla mai assaggiata."

"Mentre i vecchi non ci sono voglio trattarmi bene; loro non mangiano altro che stufato e polpettoni. Perché non vieni a cena qui stasera?"

Cal balbettò qualcosa, poi accettò.

"Odio cenare da sola," riprese Marcella. "Facciamo per le otto, dopo che ho dato da mangiare a questa qui."

Lucy era tornata in cucina e si era stretta alle gambe della mamma.

"O.K., grazie," disse Cal.

Tornò a casa – aveva ormai imparato a chiamarla casa – e prese un po' di soldi dalla mensola sul camino. Fece i cinque chilometri fino allo Stray Inn per comprare una bottiglia di vino e, con il resto, una mezza bottiglia di whiskey. Quando il barista gli domandò che vino volesse, Cal rispose che lo voleva rosso. L'uomo gli indicò con un vago gesto della mano le bottiglie allineate sullo scaffale e disse:

"Per cosa le serve? Da bere?"

Cal si piegò in due per le risate e infine gli chiese una bottiglia qualsiasi purché del prezzo giusto. Tornò indietro con passo spedito e leggero, sebbene si sentisse un po' nervoso temendo di non riuscire a tener viva la conversazione con lei per una sera intera.

Si spogliò a torso nudo e si lavò nell'acquaio, tremando e facendo versi ogni volta che l'acqua fredda gli toccava le ascelle. Si infilò una camicia pulita, si cambiò le calze e scelse le scarpe e i pantaloni migliori che aveva. Si trovò pronto in anticipo e dovette sedersi sul letto a fumare per aspettare le otto.

Quando bussò alla porta della fattoria, Marcella gli gridò: "Entra!" Portava un grembiule, ma Cal notò che sotto si era messa elegante: gonna e collant marroni e una camicetta bianca ricamata con il colletto alto. Si destreggiava rapida per la cucina, reggendo una teglia con il guanto da forno.

"Sono subito da te," disse, mentre Cal appoggiava le bottiglie sul tavolo. Lei si voltò, togliendosi il grembiule, e gli sorrise. "Cosa vuoi bere?" Poi vide i suoi contributi avvolti in una spirale di tovaglioli di carta rosso acceso. "Oh, Cal, non dovevi disturbarti, il vino ce l'avevo. Sei stato molto gentile."

Cal rispose che voleva assaggiare un Martini. Era bellissima. Aveva l'aria di essersi preparata per il suo arrivo: la pettinatura era diversa e c'era qualcosa di diverso anche nel trucco... forse solo un po' più ricco. Si sedette accanto al tavolo e le raccontò la battuta del barista sul vino: "Per cosa le serve? Da bere?"

Marcella versò due Martini a cui aggiunse ghiaccio e limone. Cal fece il pagliaccio, bevendo il suo aperitivo con il mignolo sollevato e tirandosi indietro i capelli lunghi con gesti esagerati.

"Non è male," commentò. "Ma niente a che vedere con la Guinness."

Marcella sorrise sorseggiando il suo Martini con le spalle al forno acceso.

"Il profumo è buono!" riprese Cal. "Posso darti una mano ad apparecchiare?"

"Ragazzo mio, la tavola è già pronta. Non crederai che si mangi in cucina!" Era al colmo dell'eccitazione e dell'allegria. Quando finalmente si sedettero nella sala da pranzo a lume di candela, Marcella osservò:

"Non è magnifico? Come due amanti!"

Cal desiderò che non l'avesse detto. Quella parola pronunciata ad alta voce significava che era l'ultima cosa al mondo a cui avrebbe seriamente pensato. Era nervoso all'idea di mangiare davanti a lei, ma i modi di Marcella lo misero perfettamente a suo agio.

"*Minestrone* " annunciò entrando con due piatti fumanti. "In scatola, ma Baxter... ti prego di notare, niente roba mediocre! Quando andavo a scuola avevamo un nome in gergo per tutte le cose che ci sembravano mediocri: le chiamavamo s.f., schifezze finte."

"Sì, lo so."

"Come fai a saperlo? Era un segreto tra me e Bernadette."

"Sì, insomma, so cosa intedi."

Arrivarono gli *spaghetti alla carbonara* e Marcella dovette insegnargli a non preoccuparsi delle buone maniere e a morderli, lasciandoli ricadere nel piatto. In Italia i tovaglioli non sono superflui. Con la *carbonara* bevvero la bottiglia di vino che aveva portato Cal e ne aprirono una seconda per le *costolette di vitello alla modenese.*

"Buon dio, e questo che cos'è?"

"Vitello, prosciutto e formaggio."

"Vitello?"

"Sì, lo so... è una barbarie."

"Sai cosa fa il veterinario quando un vitellino non riesce a nascere perché è troppo grosso?"

"No, e non lo voglio sapere."

"Prende un..."

"Per favore, Cal, non adesso! Non me lo dire." Prese la bottiglia. "Ancora un po' di vino?"

Cal appoggiò la mano sul bicchiere e le consigliò di andarci piano; nel tempo in cui lei aveva bevuto un bicchiere lui se n'era scolati due. Gli era venuto in mente che se si fosse ubriacato avrebbe abbassato la guardia e magari si sarebbe lasciato scappare qualcosa di cui pentirsi. L'alcol gli scioglieva la lingua e faceva scomparire i problemi: mi dispiace molto, ma l'anno scorso ho aiutato a uccidere tuo marito... Mi passeresti il sale, per favore? Sogghignò nel bicchiere.

"Cosa c'è da ridere?"

"Niente."

"Mi sa che sei *già* ubriaco, Cal."

La cera sciolta colava lungo le candele deformandole. La loro luce calda proiettava sul viso di Marcella un gioco d'ombre che lo addolciva e la faceva sembrare più giovane. Conclusero la cena con una crème caramel "della Spar".

"E se questa è crème caramel, io sono Ercole," osservò lei.

Si trasferirono nell'altra stanza per prendere il caffè davanti al camino. Marcella si sistemò sul tappeto, di profilo rispetto a Cal, seduto in poltrona davanti alla televisione. Sul televisore c'era una lampada a forma di fungo che illuminava una fotografia di suo marito. Non era un ritratto, bensì l'ingrandimento di un'istantanea di Robert con la divisa della Ruc. Era appoggiato allo stipite di una porta e aveva sul viso un sorriso stampato. Cal andava avanti a parlare, ma infastidito dalla fotografia continuava a perdere il filo del discorso. I suoi occhi continuavano a tornare all'istantanea. Marcella si girò per vedere cosa stesse fissando.

"Non è stata una mia iniziativa," disse.

"Cosa?" chiese Cal, distogliendo lo sguardo.

"La fotografia. È stata sua madre a volerla e l'ha pagata lei. Non so perché, ma queste cose non mi piacciono. Dal giorno del funerale non sono più tornata al cimitero." Rabbrividì come se avesse freddo. "Ma non parliamone più."

"O.K.," disse Cal, ed ebbe l'impressione di aver annuito un po' troppo decisamente.

"Hai letto qualcosa dei libri che ti ho dato?"

"No. Ne avevo cominciato uno, ma non mi piaceva e quindi ho piantato lì." Sentì che quell'affermazione l'aveva ferita.

"Il ragionamento non fa una piega. Quale?" In preda a un'agitazione da esame Cal cercò di ricordare.

"Era la storia di un sordomuto in America," disse.

"Carson McCullers?"

"Proprio lui... mi pare."

"Lei! E non ti è piaciuto?"

"È strano. Magari ci riprovo."

"Sì, prova a riprenderlo in mano Cal. È davvero un bel libro quando entri un po' nella vicenda."

Cal si alzò e andò a sedersi sul divano. Marcella riprese:

"Ti deve proprio dar fastidio".

"Cosa?"

"La fotografia."

"No, è solo che non mi piace stare davanti alla TV quando è spenta. Continua a venirmi voglia di accenderla."

Marcella rimase in silenzio, abbracciandosi le ginocchia; Cal accese una sigaretta e fu sorpreso di sentirsene chiedere una anche da lei.

"Ogni tanto mi piace fumare dopo una buona cena."

"Sei una persona molto disciplinata, Marcella."

"Ho imparato da Robert."

"La cena era proprio *magica* " osservò Cal. "È così che si dice in italiano." Marcella appoggiò la schiena al divano e il gomito sul suo ginocchio, e Cal dovette mettere il tallone a terra per non farle notare che gli tremava la gamba. Era strana con la sigaretta in mano: sembrava una star del cinema in un vecchio film.

"Grazie di essere venuto," disse. "È bello averti qui... senza di loro. Ricevere ospiti mi fa sentire di nuovo viva."

"Sarà sempre un piacere aiutarti."

"A volte mi sento molto isolata qui. Dopo che Robert è stato ucciso mi sono accorta di non avere amici. Oh, sì... per un paio di mesi sono venuti a trovarmi e si sono fatti in quattro per aiutarmi, ma erano tutti amici *suoi*. Poi piano piano si sono dileguati. Del resto avevo poco in comune con loro. È stata una delle ragioni per cui ho voluto tornare a lavorare, per incontrare altra gente." Cambiò posizione e si mise seduta a gambe incrociate, stringendosi un po' di più al ginocchio di Cal: fissava il fuoco e sorseggiava il caffè. Lui pensò alle sue cosce aperte al calore delle fiamme. Guardò da un lato e vide che la fotografia di Robert conservava l'eterno sorriso stampato. Marcella continuò:

"Credo che questo sia uno dei lati brutti del matrimonio: dover lasciare la propria casa per stare con il marito, abbandonare tutti gli amici. E poi da un giorno all'altro... ti ritrovi con niente in mano! Tu hai molti amici, Cal?"

"No, non molti. A scuola era diverso."

"È vero, era tutto più intenso. C'erano amici per cui sarei stata disposta a morire. Era una specie di prova del fuoco che facevamo. Ci chiedevamo: saresti disposta a *morire* per lui? O per lei... Ce l'aveva insegnato sorella Assumpta. Hai mai sentito parlare di Maria Goretti?"

"Chi?"

Marcella gli raccontò che sorella Assumpta era fissata con santa Maria Goretti, che era morta pur di difendere la propria purezza da un bruto.

"E a quei tempi credevamo tutte che fosse una storia meravigliosa." Rise e riprese a raccontare. Maria Goretti aveva soltanto dodici anni quando un uomo aveva minacciato di ucciderla se non si fosse lasciata violentare. E dato che lei non aveva ceduto, lui l'aveva pugnalata a morte.

"Ma ho sempre pensato che la parte migliore venisse dopo: alla cerimonia di canonizzazione l'uomo che l'aveva uccisa, dopo ventisette anni di prigione, ha ricevuto la comunione fianco a fianco con la madre di Maria Goretti. Non ti sembra strana tanta bontà? Secondo noi avrebbero dovuto far santa la madre. Ci facevamo venire le lacrime agli occhi!" Scoppiò in una risata e gli diede una pacca sul ginocchio alzando il viso a guardarlo. Cal sentì l'impulso di chinarsi a baciarla. Il vino gli dava coraggio, ma nonostante la stanza fosse ben riscaldata, tremava visibilmente. Dovette stringere la mascella per non sbattere i denti.

"È vergognoso rimpiangere la scuola alla mia età."

"Non sei poi così vecchia!" La sua voce suonò tremula e roca. Seduta in quella posizione, la gonna le saliva scoprendole la parte alta delle cosce, su cui si rifletteva la luce delle fiamme.

"No, ma sono abbastanza vecchia da avere dei rimpianti. Da quanto tempo hai lasciato la scuola?"

Cal fece finta di pensarci. "Oh... dev'essere sei o sette anni."

Allungò la mano e con le nocche le accarezzò dolcemente la nuca, all'attaccatura dei capelli. Senza dire nulla Marcella chinò all'indietro il capo. Cal si piegò su di lei, con una lentezza che le lasciava tutto il tempo di spostare la testa se lo voleva, e la baciò sulla bocca. Una volta, e poi ancora. La seconda volta lei emise un gemito sommesso. Fu Marcella, dopo parecchio tempo, a ritrarsi dal bacio.

"Non dobbiamo, Cal."

"Perché no?"

"Perché non ho mai pensato a te in questo modo."

Cal ripercorse dentro di sé il bacio. L'umida dolcezza del respiro di lei, l'impercettibile tremito sulle sue labbra, il modo in cui aveva aperto la bocca per accoglierlo, il verso involontario che le era uscito dalla gola. I loro corpi non si erano toccati: non poteva essere un verso di rifiuto.

"Sono una vedova, con un sacco di problemi. Tu invece sei un ragazzo che non ne ha... Qualcuno finirebbe per farsi del male e poi ci dispiacerebbe. Mi sento ancora in colpa pensando a Robert." Il bacio aveva rotto l'incantesimo. Marcella si alzò e disse che doveva riordinare la cucina, dopodiché voleva fare un bagno e aveva della biancheria da stirare.

Cal la aiutò ad asciugare i piatti ascoltandola parlare: la delusione l'aveva ammutolito.

"Mi stai liquidando," disse infine.

"No, non è così. Sto facendo la cosa più sensata, per tutti e due."

Cal pensò al trucco, ai vestiti, alla cena a lume di candela, alla mano di lei sulla sua gamba: era il modo di fare delle donne o aveva tentato di sedurlo?

"Adesso ti dico cosa fanno ai vitelli. Li tagliano a pezzi con un filo d'acciaio. Il veterinario infila il cavetto nella mucca e li taglia prima che nascano. Così poi la madre li partorisce a pezzi."

Marcella appoggiò le mani sul bordo del lavandino per sostenersi e parlò senza voltare la faccia.

"Vuoi farmi star male."

"Mi spiace," rispose Cal, "ma pensavo che tu dovessi saperlo."

"No, non è vero. Ti stai comportando come un bambino e cerchi di ferirmi." Si girò a guardarlo con la fronte aggrottata. "Ti prego Cal, non fare così." Cal giocherellò con lo strofinaccio e ripeté che gli dispiaceva davvero.

Sulla porta Marcella gli prese il volto tra le mani e lo baciò affettuosamente sulle labbra.

"Siamo amici, Cal. Non essere triste: è la cosa giusta."

Pur sapendo che Marcella avrebbe fatto il bagno, non si arrampicò sul tetto della cucina. Decise invece di andare allo Stray Inn, chiese al barista di fargli credito e con tutta calma, nel tempo che era rimasto prima della chiusura, si ubriacò.

Quella settimana Cal doveva riparare la staccionata che recintava la proprietà. Faceva freddo e pioveva, ma non gliene importava. Pensò a Shamie: chissà come si sentiva... Bisognava che si decidesse ad andare a trovarlo. Infelicità e depressione erano la stessa cosa? Cal sapeva che Shamie era malato, mentre la sofferenza che si portava dentro lui prima o poi sarebbe scomparsa se avesse fatto in modo di non pensarci per un po'. Lui era malato di se stesso. La pioggia gli gocciolava lungo il naso e il mento, mentre le sue mani, rosse e lucide, gli lavoravano davanti a conficcare i pali nel terreno. Sorrise pensando che era all'esterno della staccionata e che si stava chiudendo fuori.

Di sera stava in casa a cercare di leggere i libri che Marcella gli aveva prestato. Escogitò migliaia di scuse per andare alla fattoria e vederla, ma non ebbe il coraggio di usarne nessuna. Passava ore sdraiato a letto a fissare il vuoto e ad ascoltare il sibilo della lampada a gas. Tentava di prolungare il più a lungo possibile le occupazioni che si trovava per distrarsi. Impiegò tutta una sera a cementare due mattoni traballanti del camino, infilando dei fiammiferi nell'intercapedine tra l'uno e l'altro per tenerli alla giusta distanza. La sera dopo si dedicò a chiudere la fessura con la malta.

Mercoledì il tempo cambiò. Al mattino il cortile era coperto di un duro strato di brina scricchiolante. I campi erano candidi e attraversandoli per tornare al punto in cui era arrivato con la staccionata, Cal si lasciò dietro una pista di impronte. Intorno a mezzogiorno cominciò a nevicare; dapprima una neve sottile, simile a pulviscolo portato dal vento, poi fiocchi pesanti che cadevano da un cielo grigio come l'ardesia. Cal continuò a lavorare, girando le spalle al vento, ma i fiocchi gli turbinavano davanti in mulinelli ascendenti e discendenti. Sollevò lo sguardo e si accorse che ormai riusciva a distinguere soltanto la siepe più vicina. Sull'erba e su un lato della staccionata cominciava a formarsi uno spesso strato bianco. Infine si arrese e, con i lacci degli stivali coperti di neve, tornò arrancando alla fattoria a dire a Dunlop che stava per morire di freddo.

In casa accese il fuoco, si cambiò e appese alla mensola del camino e alla spalliera delle sedie i vestiti bagnati, da cui subito iniziò a salire il vapore. Nella stanza in cui erano ammucchiati i mobili c'era un rotolo di feltro; Cal passò il resto del pomeriggio a tagliarne delle strisce da mettere intorno alle finestre e alle porte per fermare gli spifferi. La neve continuava a cadere sul terreno in un infinito turbinio di fiocchi. Vide l'Anglia tornare in anticipo: evidentemente mandavano a casa la gente dal lavoro per paura che le strade diventassero impraticabili. Anche Dunlop se ne andò presto.

Scaldò una scatola di fagioli e tostò il pane nel camino, una fetta dopo l'altra. Dopo mangiato si addormentò, e al suo risveglio si era fatto buio. Pulì il vetro per guardare fuori: tra il cottage e le luci della fattoria infuriava una tempesta di neve. Erano le otto e il fuoco si era spento; tremando Cal attizzò le braci, vi appoggiò sopra una manciata di ramoscelli secchi e infine qualche ceppo. Poi accostò la sedia al camino in modo da appoggiare i piedi contro i mattoni; era certo che, dopo aver dormito così profondamente, lo aspettava una notte torturata dai sensi di colpa e dall'insonnia. Ad un tratto bussarono alla porta e Cal balzò in piedi per andare ad aprire, sapendo perfettamente chi era.

"Cal può venire fuori a giocare?" Era Marcella, imbaccuccata in sciarpa, cappello, manopole e giacca di montone. Portava i blue jeans infilati negli stivali alti di pelle. Un fiocco di neve le si era posato sul sopracciglio e si stava sciogliendo.

"No, non può," rispose lui. "Ma se vuoi puoi entrare tu."

"Non è splendido?" Cal annuì assecondandola. "Credi che resteremo bloccati in casa?"

"Se va avanti a nevicare così, niente di più facile."

"O ancora meglio... Credi che *loro* resteranno bloccati e non potranno tornare?"
"Quando dovrebbero arrivare?"
"Domani. Mia suocera ha telefonato per dire che è andato tutto bene e che lo dimettono domani."
Marcella si tolse il berretto di lana e scosse i capelli, poi appoggiò i guanti ad asciugare sul bordo del camino. Cal arrotolò i vestiti umidi e li buttò in un angolo.
"Dov'è Lucy?"
"Dorme... stanca morta! Nel pomeriggio abbiamo fatto a palle di neve e abbiamo costruito un pupazzo. Era assolutamente esausta."
Marcella si sedette sulla sedia sfregandosi energicamente le mani mentre Cal guardava la neve che comiciava ad addolcire gli angoli del davanzale. Nel camino la legna crepitò e una fiamma saettò verso l'alto.
"Cal, mi dispiace per l'altra sera." Dopo l'ingresso esuberante ora Marcella parlava piano.
"Non ti preoccupare. È stata colpa mia."
"No, non ci avevo pensato. Avrebbe dovuto essere ovvio. Mi perdoni?"
Cal annuì. "Allora, cosa posso fare per te?"
"Volevo solo scusarmi, tutto qui... prima che tornassero." Di nuovo riprese il tono eccitato e parlò, parlò del freddo che faceva, dei suoceri, della biblioteca. Si scusò per la neve che si scioglieva dai suoi stivali e bagnava il caminetto e poi, accorgendosi che Cal non aveva aperto bocca, si scusò per aver parlato troppo.
"Guarda cosa ho portato per scaldarci," disse e tirò fuori la mezza bottiglia di whiskey. "Ma per berlo devo fare un punch, così ho portato anche questi." Estrasse dalla tasca un cartoccino e gli mostrò i chiodi di garofano.
"Mi fanno sempre venire in mente le punte della corona di un re," osservò Cal.
"Davvero? Dai, fa' fare a me." Mise l'acqua sul fuoco e infilò un cucchiaio in ciascuna tazza. Quando l'acqua prese a bollire la versò nelle tazze, aggiunse lo zucchero, il whiskey e i chiodi di garofano che rimasero a galla sul liquido roteante. Poi si slacciò il cappotto e si sedette sul pavimento con la tazza tra le mani; Cal andò a mettersi sul letto.
"Sono contento che tu mi abbia buttato fuori l'altra sera," disse.

"Perché?"

"Perché ci è rimasto questo da bere."

Marcella si avvicinò il punch al naso per aspirarne i vapori, ma l'odore dell'alcol le fece mancare il fiato, e cominciò a tossire ancor prima di assaggiarlo. La tosse si mescolò alle risate.

"Oooh, l'ho fatto troppo forte." Aveva le lacrime agli occhi. Bevve un po' del liquido dal cucchiaino, serrando le labbra. "Questa è una delle poche cose buone che l'Irlanda ha da offrire al mondo." Assaporavano il punch in silenzio; fuori la neve sembrava una coperta stesa ad attutire i rumori.

"Sono stata triste negli ultimi giorni," riprese Marcella. "Voglio che tu sappia che mi piaci molto e che mi sono sentita malissimo per averti fatto del male." Sceglieva attentamente le parole. Alzò il viso verso di lui e batté la mano sul tappeto accanto a sé. Cal si sedette sul pavimento con la schiena appoggiata al letto, tenendo in bilico la tazza sulle ginocchia.

"Tu non sei stato sposato," continuò lei. "Ci sono cose a cui ci si abitua e di cui si sente la mancanza quando non ci sono più."

"Ad esempio?"

"Il contatto, il conforto di un abbraccio. Non necessariamente il sesso... ma anche quello."

"C'è stato nessuno?"

"Buon Dio, no! Tu sei l'unico a cui mi sia capitato di pensare in questa luce."

Gli appoggiò la testa sulla spalla e, dato che era una posizione scomoda, Cal le mise un braccio intorno alle spalle. Poi depose in terra la tazza e cominciò ad accarezzarle piano il viso, scostando le ciocche di capelli.

"Cose come questa..." Le mani gli erano diventate ruvide con il lavoro e il pensiero che lei potesse notarlo lo imbarazzò. Ma Marcella sorrise e chiuse gli occhi mentre Cal continuava a seguire con le dita la linea della sua mascella, della fronte, degli zigomi.

"È per questo che eri così nervosa quando sei arrivata?" Ancora quell'odioso tremolio nella sua voce. Lei annuì e sorrise, ma non aprì gli occhi. Cal le passò la mano sul collo e la baciò sulla bocca, certo che questa volta non sarebbe stato respinto. Quando staccò le labbra dalle sue, Marcella lo chiamò per nome. Cal infilò la mano sotto il tepore del montone e, attraverso strati di maglioni, le strinse il seno. Di nuovo lei emise un gemito sommesso.

"Credo di amarti," disse Cal.

"Moriresti per me?" Marcella aprì gli occhi e sorrise.

"Solo se fosse proprio necessario," rispose Cal, e scoppiarono tutti e due a ridere abbracciandosi stretti. Cal non aveva mai provato niente di simile: gli incontri sessuali che aveva conosciuto sul sedile posteriore delle macchine o nel buio dei portoni erano sempre stati *cupi* di desiderio.

"Non ho mai baciato un uomo con la barba. È bello," disse lei. "Mettiamoci a letto." Marcella si alzò per togliersi il cappotto e Cal le abbracciò le gambe, affondandole la faccia nel grembo. Lei cominciò a spogliarsi, uno strato dopo l'altro, il più in fretta possibile per non sentire il freddo. Inginocchiato per terra, Cal la guardava senza credere ai suoi occhi. Due maglioni, reggiseno, stivali, calzettoni di lana, jeans, collant e slip in una volta sola, tutto finì sul pavimento di fianco a lui. Il seno le dondolava mentre litigava con una calza; i peli neri del pube formavano una piccola punta di freccia. In un lampo si infilò sotto le coperte, con una breve apparizione di schiena e natiche su cui spiccava il triangolo bianco del bikini. Lo guardava.

"Vieni," lo chiamò. Cal pensò al rischio che aveva corso per rubare l'immagine del suo collo, di una spalla, di un seno... sul tetto con le ginocchia che gli tremavano... e ora in un attimo lo spettacolo gli veniva offerto per intero. Quel corpo avrebbe dovuto essere un segreto da svelare poro per poro, lentamente, come quando si spilla un full a poker. Si spogliò con la pelle d'oca e si infilò a letto accanto a lei, terrorizzato di rendersi ridicolo al momento di perdere la propria verginità.

Sotto il suo bacio le labbra di Marcella si aprirono. Cal esplorò la sua bocca e con la punta della lingua toccò, o credette di toccare, le grinze del suo palato. Si rivide tastare piano con le dita il dietro del volante, sentì di nuovo l'incessante abbaiare dei cani mentre Crilly cercava di cavare un suono dal campanello. Marcella gli passò le unghie sulla schiena, scendendo lungo la colonna e fissandolo. Incapace di sostenere quello sguardo, Cal chiuse gli occhi e sprofondò la faccia nella curva della sua spalla. Nel buio vide suo marito cadere in ginocchio e la tappezzeria macchiarsi all'improvviso alle sue spalle. Il rumore irreale da pistola giocattolo. Marcella lo toccò tra le gambe e lui provò una gran vergogna.

"Non ti preoccupare," lo rassicurò. "Abbiamo tutto il tempo del mondo."

Cal cercò di sgombrarsi la testa, scuotendola come se avesse un tic. Con uno sforzo terribile tentò di concentrarsi sulla punta delle sue dita che disegnavano il corpo di lei.

"Rilassati," disse Marcella. "Non sei sotto processo."

"Oh Signore!"

Forse, se fosse riuscito a non pensarci, la sua impotenza sarebbe scomparsa; ma per quanto riguardava Marcella aveva paura di essersi evirato in quella scura sera d'inverno. Lei allontanava la testa per metterlo a fuoco con gli occhi marroni. Le sue carezze non risvegliavano in Cal alcuna risposta.

"Girati," le disse.

Marcella si stese obbediente sulla pancia e Cal le si mise a cavalcioni per massaggiarle le spalle. Osservava la pieghe di pelle scura muoversi sotto la pressione delle sue mani; con i pollici spianò verso l'esterno l'orizzonte pallido lasciato dall'elastico del reggiseno. Senza il suo sguardo addosso riuscì finalmente ad eccitarsi. Si lasciò rotolare accanto a lei, ma correva sul filo del rasoio e non appena si sentì toccare le si sciolse addosso.

"Non importa," disse Marcella stringendosi al seno la faccia di Cal coperta di vergogna.

L'imbarazzo per la debolezza mostrata cancellò l'immagine nauseante di suo marito che cadeva in ginocchio. Piano piano Cal sentì risvegliarsi l'interesse e cominciò a esplorarla con carezze e stupore infantili. I capezzoli turgidi ("È il freddo," spiegò Marcella), la fragranza dei suoi umori sulle sue mani, e soprattutto la consapevolezza di darle piacere erano quasi troppo per lui. Marcella cominciò a gemere e Cal ebbe una nuova erezione. La penetrò, ripetendo incessantemente il suo nome, mentre con il tocco delle dita leggere lei gli insegnava a ritmare la spinta.

Dopo le sorrise e, appoggiato su un gomito, si alitò sulle unghie e se le lucidò contro il risvolto immaginario sul suo magro torace.

"Alla fine..." sospirò Marcella, sorridendo a sua volta.

Si abbracciarono, rannicchiandosi comodamente tra le coperte. Marcella disse che doveva tornare alla fattoria... nel caso telefonasse sua suocera o Lucy si svegliasse. Mentre si vestivano gli propose di accompagnarla; anche tra un indumento e l'altro Cal non smetteva di baciarla e toccarla.

Quando uscirono aveva smesso di nevicare. Camminavano lasciandosi dietro una scia di impronte appaiate e Marcella si stringeva al suo braccio per paura di scivolare. Il paesaggio era immobile e gelato, luminoso come di giorno. Sotto i loro passi la neve mandava un sordo scricchiolio. Marcella si voltò a guardare e disse che stavano lasciando delle tracce: se non riprendeva a nevicare li avrebbero scoperti.

"Cosa succede se resti incinta?" chiese Cal.

Lei gli sorrise. "Ho rispolverato il mio diaframma," rispose e Cal si lasciò sfuggire un'esclamazione sorpresa.

"Sono venuta a trovarti sperando!"

Alla fattoria bevvero un altro punch e fecero di nuovo l'amore sul tappeto davanti al camino, con una poltrona contro la porta nel caso Lucy scendesse. Quando ebbero finito rimasero sdraiati a pancia in giù, guardandosi in faccia. Mentre Cal le teneva una mano appoggiata sulle natiche, lei gli mise i capelli lunghi dietro l'orecchio.

"Sei un amante così sensibile," osservò. "Te lo leggo negli occhi."

"Di cosa parli?" Cal distolse lo sguardo dal suo.

"Della tua attenzione ai dettagli. Mi fai sentire che sono proprio io."

"Non capisco: certo che sei tu!"

"Appunto."

"Non è sempre così?"

"Non sempre."

"Non sei chiara."

Marcella si tirò a sedere e si appoggiò sulle spalle la giacca di montone, stringendosi le ginocchia tra le braccia. Cal allungò una mano sotto le sue caviglie e con le dita le separò le grandi labbra.

"Il cuore di una fragola," disse. "Il mio frutto preferito."

Lei lo ignorò e riprese:

"Non posso spiegarti senza parlare di Robert... il che non è carino, date le circostanze".

Cal scrollò le spalle. "Vorrei averti incontrata prima di lui."

Marcella scoppiò a ridere. "Probabilmente portavi ancora i calzoni corti." Si accorse di averlo ferito e gli scompigliò i capelli. "Avevamo smesso di fare l'amore molto prima che lo uccidessero. Ogni tanto c'era del sesso, ma Robert non sapeva farmi sentire che ero io: possedeva una creatura della sua fantasia. Che il Signore mi perdoni, non dovrei parlar male di un morto!"

"Lo amavi?" Nella voce di Cal si sentiva ancora l'eco di un tremito.

"L'amore è un concetto molto strano. Non ho mai saputo cosa

fosse. Quando si è giovani sembra che sia un gran desiderio e mai un'occasione. Poi, quando arrivano le occasioni, il fuoco si è spento."

"Il mio è ancora acceso," ribatté Cal.

"Tu sei ancora giovane. Comunque messa così è troppo semplice. Dev'essere un insieme di amicizia e desiderio. L'amicizia era scomparsa dal nostro matrimonio da molto tempo e la passionalità di Robert era rivolta a qualcuno che aveva nella sua testa... non a me."

"E avete continuato a vivere insieme?"

Marcella rise. "Per l'amor del cielo, Cal, non vedi che non è cambiato niente? Ancora adesso vivo con la sua famiglia!"

"Ti piaceva almeno?" Il tono di Cal era carico di incredulità.

"Negli ultimi tempi non molto."

Lui scoppiò in un riso roco e sguaiato, per nulla divertito, che durò troppo a lungo.

"Cos'è che ti fa ridere?"

Smise immediatamente non appena sentì quel tono. "Niente. È uno scherzo. Dicevi davvero? Non ti piaceva?"

"No." Aveva l'aria perplessa, come una bambina che continua a sorridere anche se non capisce. "Non ridere più in quel modo. Non sei tu." Gli tese le braccia e lo prese sotto la giacca.

"Scusami," disse lui. Sentiva il caldo della lana sulla schiena.

"Era così convincente... una persona che piace. Avrebbe saputo incantare gli uccelli sui rami... nessuno gli resisteva, né uomini, né donne. Era spiritoso, intelligente, ma non c'era da credere neanche a una parola. Mentiva, Cal: a ogni occasione. Mentiva sulle sue amanti... so che ne aveva almeno due o tre... Mentiva su quanto beveva, sui soldi che spendeva. Dopo un po' ho smesso di fargli domande, ma anche così lui mi offriva le sue bugie. Penso che a un certo punto avesse cominciato a crederci anche lui. E la cosa peggiore è che sua madre lo spalleggiava sempre. Per lei la sua parola era Vangelo."

Cal annuì, guardandola fissare il fuoco e toccandole le vertebre sulla schiena.

"Era uno di quegli uomini con cui si passano volentieri un paio d'ore, ma che si è felici di non aver sposato. Peccato che invece io fossi sua moglie."

"Mi ami?"

"Non mi stai a sentire, Cal. Ho bisogno di tempo... tempo per guarire forse." Appoggiò il mento sulle ginocchia e a Cal sembrò che stesse per piangere. Le accarezzò il viso con il dorso della mano e la baciò su una guancia. Marcella rispose al gesto con una rassegnata contrazione delle labbra.

"Ti amo," disse lui e non appena ebbe pronunciato quelle parole avvertì un nuovo pericolo: più l'amava, più le diventava amico, più l'idea di confessarle quello che aveva fatto lo spaventava. Era l'unica cosa di cui avrebbe davvero voluto parlarle, di cui avrebbe voluto essere consolato. Voleva condividere la sua colpa con la persona a cui aveva fatto del male. Essere in comunione con lei e venirne perdonato. Aprì la bocca per parlare e lei aspettò, restando in ascolto con le sopracciglia inarcate. Cal esitò.

"Vorrei... bere ancora qualcosa," disse.

Marcella si alzò, lasciandolo al freddo, e si avvicinò alla credenza. Si chinò a guardare dentro uno degli armadietti; con la rigidità tipica della pelle l'estremità della giacca si sollevò, mostrando a Cal le linee dolci dei suoi accessori.

"Visto da qui il tuo sedere sembra una forma di pane casereccio."

"Sono un genio!" esclamò lei brandendo i consistenti resti di una bottiglia di brandy. "La mamma lo tiene nel caso qualcuno si senta male."

"Una donna previdente."

Andarono avanti a bere e a chiacchierare finché Marcella non riuscì più a tenere gli occhi aperti.

"Cal, lo sai che questa è la notte più lunga dell'anno?"

"E anche la più bella," rispose lui. Marcella spiegò che al mattino appena sveglia Lucy le piombava nel letto e che non sarebbe stato saggio restare insieme; aggiunse che quella era la prima volta che si sentiva felice da anni e che voleva vederlo il giorno dopo. La baciò sulla bocca per darle la buonanotte, e le sue labbra gli risposero fiacche per la stanchezza o per il bere, o forse per tutte e due le cose.

Tornò a casa cancellando le orme che avevano lasciato all'andata con i piedi aperti come Charlie Chaplin. Era così eccitato che non poteva andare a dormire, così si accese una sigaretta e si sedette sul letto a fumare, riscoprendo nella mente ogni angolo e ogni recesso del corpo di Marcella, ogni sguardo, ogni suono. Poi provò a guardare al futuro, ma quello che vide gli fece chiudere gli occhi. Si teneva la testa stretta tra le mani, con i gomiti appoggiati sulle ginocchia: rimase così finché sentì un odore di capelli bruciacchiati.

Il giorno dopo era giovedì e, nonostante la neve e lo stato delle strade, nel pomeriggio Cal andò in città con Dunlop per fare gli acquisti di Natale. Si chiese cosa comprare a Marcella: qualcosa che non suscitasse troppe domande. Non che potesse permettersi molto... Le comprò una boccetta di profumo che gli costò quasi il salario di tre giorni, poi entrò in una libreria e chiese qualcosa che fosse o parlasse dell'artista che l'aveva tanto colpita. Il commesso gli fece vedere un'edizione economica con le riproduzioni dei dipinti di Grünewald e lui se l'infilò in tasca. A Shamie comprò una colonia e uno stick di sapone da barba, come faceva da sempre: sembrava che durassero esattamente da un Natale all'altro. Per fargli una sorpresa gli comprò anche un puzzle da mille pezzi. Quando Cal era piccolo Shamie, da dietro le sue spalle, cercava sempre di mettere il naso nel puzzle che stava facendo. Nel negozio di giocattoli vide delle bambole di pezza appoggiate contro la parete, con la testa che penzolava in avanti come quella di un ubriaco, e ne prese una per Lucy.

All'angolo della strada il Predicatore urlava a gran voce la parola di Dio. Portava un grembiule nero di plastica con scritto sopra: "Pentitevi, poiché il regno dei cieli è vicino". Nessuno lo ascoltava, a parte un paio di suoi compari appoggiati al muro, anche loro con dei grembiuli neri. Un brulichio di gente gli passava davanti, alcuni addirittura scendendo dal marciapiede nella fanghiglia della strada pur di evitarlo. Il Predicatore agitava le braccia come le pale di un mulino a vento e mentre Cal gli arrivava davanti gridò:

"Senza spargimento di sangue non c'è remissione".

"Buonasera," disse Cal.

Suonò il campanello a casa di Dermot Ryan ma non ottenne risposta, così fece il giro sul retro e trovò la porta aperta. Entrò scuotendosi la neve dalle scarpe, e chiamò Shamie, ma di nuovo nessuno rispose. Si sedette ad aspettare: forse erano usciti a bere qualcosa. Se era così, era un buon segno. Tirò fuori il libro su Grünewald e cominciò a sfogliarlo. Sentì la porta d'ingresso aprirsi e diede una voce per avvertirli della sua presenza. Sulla soglia apparve Dermot da solo.

"Dov'è Shamie?"
"Sta peggio di quanto immaginavano, Cal. Il dottore l'ha fatto ricoverare."
"Dove?"
"A Gransha."
"Oh Dio, no!"
"Dicono che questi elettroshock siano una brutta cosa. Una cura pesante."
"Come diavolo faccio ad andare a trovarlo a Derry?"
Dermot si strinse nelle spalle e si sedette, sistemandosi il berretto. Per un attimo Cal vide il segno della fascia sui capelli radi di Dermot.
"E il furgone? Dov'è?"
"L'ha preso un ragazzo del mattatoio."
"Crilly?"
"Sì, lui mi pare."
"Gesù!"
"Tuo padre è troppo generoso. Così un brav'uomo! Mi si spezzava il cuore a vedere come si era ridotto. Un carattere di ferro che diventa plastilina da un giorno all'altro." Stava seduto accanto al camino con i pantaloni sbottonati, aperti sulla V bianca della pancia. Teneva una mano appoggiata sul ginocchio e l'altra agganciata alle bretelle.
"Il mondo è pieno di delinquenti e non gliene importa niente delle persone a cui fanno del male, Cal."
"Sarà fuori per Natale?"
"Ne dubito... stando a quello che ha detto il dottore."
Cal si avvicinò al tavolo su cui aveva appoggiato i regali.
"Se lo vedi, ti dispiace dargli questo?" disse e gli tese la scatola più grande. "E questo è per te, per averlo sopportato." Diede a Dermot il pacchetto con il dopobarba e il sapone. "È la stessa marca che usa Shamie, col tempo ha cominciato a piacermi."
"Grazie, Cal. Sei proprio uguale a tuo padre!"

Andò alla biblioteca per far passare il tempo, ma deluso e infastidito al posto di Marcella, dietro il bancone, trovò la figura occhialuta della capobibliotecaria. Se ci avesse pensato gli sarebbe venuto in mente che non poteva essere di servizio di sera, dato che non aveva nessuno che badasse alla bambina. A quel punto gli toccava tornare a casa a piedi o in autostop, il che era pericoloso.

Si avvicinò alla sezione fumetti e prese un libro dallo scaffale: una raccolta dal *New Yorker*. Alle sue spalle una voce disse:
"Che piacere rivederti, Cal".
Si sentì ghiacciare sapendo, anche senza voltarsi, che la voce apparteneva a Crilly.
"Non mi aspettavo di trovarti qui," rispose Cal girandosi. Gli stava davanti sorridente con tutta la sua mole, anche se la testa inclinata di lato lo faceva sembrare meno alto.
"Perché no?"
"In vita mia ho letto un libro solo, quando andavamo a scuola, ma sempre uno più di te."
"I libri non sono il mio pane. Vieni, vieni qui."
Lo guidò alla sezione narrativa e piegando la testa per leggere i titoli fece scorrere le dita sulla costa delle copertine, finché si fermò su un volume: *Middlemarch* di George Eliot.
"E allora?" chiese Cal.
"È un libro dal contenuto esplosivo," rispose Crilly. Lo tolse dallo scaffale con grande precauzione e, dopo essersi guardato intorno per controllare che non ci fosse nessuno, lo aprì. Tra le pagine era stato ritagliato un profondo quadrato in cui stava un sacchettino di polvere collegato a un cronometro. Crilly lo richiuse cautamente e lo rimise al suo posto.
"Io i libri non li prendo in prestito, li distribuisco."
"Gesù, ma perché bruciare una biblioteca?"
"È proprietà del governo, no? Gli ordini sono ordini, Cal."
"Cazzo!"
Cal fece per andarsene, ma Crilly lo afferrò per un braccio.
"Skeffington vuole parlarti." E aggiunse: "Urgentemente".
"Non mi interessa più."
"Ti abbiamo cercato dappertutto. Avevo sentito dire che eri andato in Inghilterra."
"Come vedi sono ancora qui."
Crilly continuava a tenerlo per un braccio.
"Dove?"
"Qui."
La bibliotecaria alzò lo sguardo oltre gli occhiali per vedere chi parlava tanto ad alta voce. Crilly le sorrise e abbassò il volume, sussurrando all'orecchio di Cal:
"Sta a sentire, Cal, non cercare di prendermi per il culo. Dove abiti?"

"Fuori città."

"Andiamo a casa mia. Così Skeffington può fare un salto a trovarci, eh?"

Cal scrollò le spalle. Il tono di Crilly si era fatto amichevole, ma sapeva che non doveva accettare. Si lasciò condurre fuori dalla biblioteca, e si trovarono in strada. Crilly camminava standogli molto vicino. Gli chiese cosa aveva nel sacchetto e Cal rispose che era una bambola. Gli venne in mente di mettersi a correre, ma gli sembrava così stupido scappare da uno che era stato suo compagno di scuola.

"Mi dispiace per Shamie. Come sta?" domandò Crilly.

"L'hanno ricoverato a Gransha."

"Sì, lo so. Mi ha prestato il furgone."

"Vuoi dire che te lo sei preso."

"Più o meno."

"Lo rivoglio. Subito."

"Lo stiamo usando, Cal."

"Allora presto. Devo andare a trovare Shamie a Gransha."

"Non ho mai visto un uomo fare un cambiamento simile. Hai sentito del padre di Skeffington?"

"Lo spiritosone? Non mi dire che ha parlato!"

"È stato investito da una macchina."

"Una cosa seria?"

"Abbastanza seria. Un momento solo..."

Crilly si fermò a una cabina telefonica in fondo alla strada e aprì la porta per Cal. Rimasero in piedi uno di fronte all'altro, con le ginocchia che si toccavano, mentre Crilly componeva un numero. Cal sentì il segnale di libero per tre volte dopodiché Crilly riattaccò. Cal stava per aprire la porta e uscire, ma si sentì dire: "Aspetta". Attesero un attimo e il telefono nella cabina squillò tre volte.

"Ti piace il sistema?" chiese Crilly. "Così si risparmiano i soldi... e non si corre il rischio di essere intercettati."

"È un miracolo che la cabina funzioni."

"Funziona perché noi vogliamo che funzioni. Un po' di disciplina fa miracoli."

Aspettavano l'arrivo di Skeffington seduti nel soggiorno di Crilly. Sulla stretta mensola del camino la lancetta dei secondi girava lentamente intorno alla faccia tonda di un orologio elettrico. Cal pensò al cronometro chiuso in un libro nel buio della biblioteca di Marcella. Non aveva osato chiedere a Crilly su che ora fosse regolato, ma immaginava che sarebbe stato dopo l'orario di chiusura: le bombe incendiarie si possono spegnere se esplodono mentre c'è ancora del personale sul posto.

"Mi stavi dicendo del vecchio spiritosone."

"Ah, già. Un bastardo ubriaco, avrà avuto sì e no sedici anni, l'ha messo sotto. Quello stronzetto aveva *rubato* la macchina. Il vecchio si è fratturato il cranio e tutte e due le gambe. Cristo, Skeffington ha dato fuori di matto. Ha passato tutta la notte all'ospedale e il giorno dopo quando l'ho visto non era in sé. Mi ha detto che voleva dare una punizione esemplare a quel marmocchio. Non avevo mai gambizzato nessuno, ma gli ho risposto: 'O.K., ci provo.' E lui: 'Ti farò da autista: questa volta non voglio perdermi lo spettacolo. Anzi', mi fa, 'non usare la rivoltella... prendi dal lavoro la pistola da macello. Non lo voglio vedere in piedi per un bel pezzo'. Pam, pam – voleva tutte e due le ginocchia – e l'amico è a terra che strilla come un maialino sgozzato con Skeffington che gli sta seduto sulla testa."

"È stata un'idiozia," commentò Cal.

"Perché?"

"Capiranno che cosa ha provocato la ferita."

"Cristo, non ci avevo pensato!"

"Una ferita senza foro d'uscita e senza proiettile? Ci arriveranno."

"Gesù, hai ragione." Crilly si grattava la testa. "Avresti dovuto restare dei nostri, Cal."

Mrs Crilly fece capolino nella stanza e alla vista di Cal scoprì la dentiera bianca in un sorriso.

"Ciao, Cal," disse. "Tè o caffè?"

"Aspetta Finbar, mà. Dovrebbe essere qui da un momento all'altro."

Quando arrivò, Skeffington non gli strinse la mano come faceva di solito; lo salutò restando dall'altro capo della stanza. Aveva l'aria seria e preoccupata.

"Per quanto ne so abbiamo un problema in comune, Cahal."

"E cioè?"

"Abbiamo tutti e due il padre in ospedale."

"Già. Notizie del suo?"

"Mi hanno detto che vivrà. Ma alla sua età le ossa rotte... Non sarà più lo stesso."

"Mi dispiace."

Skeffington si sedette in poltrona e si rivolse a Crilly:

"Allora?"

"È stato facile. Nessun problema," disse Crilly. "È lì che ho incontrato il nostro amico." Cal cercò di ricordare il nome dell'autore del libro... era un nome maschile. Quando Skeffington gli parlò la sua voce aveva un accento profondamente offeso.

"Cahal, perché non ci hai fatto sapere dov'eri?"

"Ve l'ho già spiegato: voglio uscirne."

"A volte c'è un prezzo da pagare."

"È proprio quello che gli stavo dicendo," riprese Crilly. "Gli ho raccontato cosa abbiamo fatto l'altra sera al suo amico."

"A volte ti comporti davvero da stupido," ribatté Skeffington.

"Volevo solo metterlo nell'umore giusto per ascoltarla. E poi è stata sua la stupida idea di usare la pistola da macello. Cal dice che ci arriveranno."

"Altamente improbabile. Non hai ancora capito che Cahal non sta più dalla nostra parte? Non avresti dovuto raccontargli niente. Il cuore di Cahal è cambiato, non è così?"

"Non credo di essere cambiato poi tanto. È solo che adesso vedo le cose in un altro modo."

"È quello che io chiamo tradire la causa. Il prossimo passo sarà diventare un informatore." Skeffingon indossava ancora cappotto e sciarpa, si era tolto solo il guanto sinistro che stringeva nella mano destra. Si appoggiò allo schienale della poltrona sospirando. "Ti credevo migliore Cahal, davvero. Queste sono le cose che nel corso dei secoli hanno intralciato il Movimento Repubblicano nella sua lotta per la libertà dell'Irlanda. Sono stati i nostri stessi Lundy a metterci i bastoni tra le ruote: vermi senza nome che brulicano nel triste passato dell'Irlanda."

"Io non sono l'informatore di nessuno," protestò Cal. "Quello che facevo non mi piaceva, andava contro la mia coscienza. Sono stati i vostri a mettere la mina nei campi intorno alla strada per Toome?"

"No, devono essere stati i ragazzi di Ballyronan. Perché?"

"Hanno ucciso una mucca."

"Questo è sterile sarcasmo, Cahal. Gli errori sono inevitabili."

"Vuol dire che sarebbe stato tutto a posto se a morire fosse stata una persona?"

"Hai mai sentito parlare del cardinale Romero? Lui diceva che c'è un 'diritto legittimo all'insurrezione armata'. I popoli oppressi hanno il *diritto* di fare quello che meglio credono per liberarsi del loro giogo... e queste sono le parole di un eminente dottore della Chiesa. Se qualcuno ti mette i piedi in testa, hai il diritto di rompergli le gambe."

"Con una pistola da macello?"

"Sì, se servirà di lezione ad altri. Non ci sono regole, Cahal. Conta solo il vincitore finale. Personalmente io preferisco il Dio del Vecchio Testamento: 'Tu che colpisci alla mascella i miei nemici e spezzi i denti dei malvagi'."

Mrs Crilly entrò sorridente, portando con equilibrio incerto un vassoio di metallo.

"Fuori fa un gran freddo: perché non alzi la stufa?" Appoggiò il vassoio sul tavolo e chiese a Skeffington notizie del padre, ascoltando la sua risposta con aria compresa.

"Oh be', almeno all'ospedale starà al caldo. In quei posti il riscaldamento ti manda arrosto: secondo me è così che muoiono la metà dei pazienti. Bene non fa. Quando sono stata ricoverata per l'isterectomia – sa, mi hanno tolto proprio tutto – ero sempre in un bagno di sudore. Il dottore diceva che era il cambiamento nel mio corpo, ma secondo me erano i caloriferi."

"Grazie ma'," la liquidò Crilly tenendole aperta la porta. Quando fu uscita, Cal prese la sua tazza e soffiò sul tè. Nel silenzio imbarazzato diede un'occhiata all'orologio: ormai la biblioteca doveva aver chiuso. Risentì il rumore dell'incendio a casa sua, il divampante fragore delle fiamme. Si immaginò Marcella che girava il giorno dopo tra i vetri rotti e l'acqua sul pavimento annerito, guardando i resti della sua biblioteca e respirando la puzza della distruzione. Gli unici libri in casa di Crilly erano quattro volumi del *Reader's Digest* rilegati in verde con i titoli scritti in oro, in mezzo a due cani di gesso. In mezzo. Doveva ricordarsene: nel mezzo di un mese dell'anno... nel mezzo di marzo.

"Allora, Cahal?"

"Qual è il prezzo di cui parlava prima?"

"Vogliamo sapere dove abiti, così potremo metterci in contatto con te se ne abbiamo bisogno."

"Quindi il prezzo per uscirne è restarci dentro."

"Più o meno."

"E se mi rifiutassi?"

"Sta a sentire, Cahal: finora sono stato estremamente indulgente nei tuoi confronti. Questo non è un gioco: la tua scelta si chiama diserzione, e tu sai come l'esercito punisce la diserzione in tempo di guerra."

Crilly si alzò e si mise alle spalle di Cal. Cal lo guardava con la coda dell'occhio e stringeva il suo sacchetto.

"Ma insomma, ve l'ho detto mille volte: io non mi sono mai arruolato. Vi ho solo dato una mano un paio di volte..."

Seguì un lungo silenzio. Skeffington giocherellava con le dita del guanto sinistro. Crilly si era avvicinato alla finestra e guardava fuori da dietro le tende, sorseggiando rumorosamente il suo tè. Cal sentì il tipico rumore di una Land Rover e si accorse che Crilly si era irrigidito. Una portiera sbatté e Crilly sibilò:

"Merda, la polizia!"

Skeffington balzò in piedi.

"Usciamo da dietro."

Passarono in fretta nell'ingresso. I poliziotti suonarono alla porta e ancor prima che si spegnesse l'eco dello scampanellio cominciarono a bussare con i pugni. Dall'ovale di vetro a bolle si vedeva un berretto con la visiera. I genitori di Crilly stavano guardando la televisione nella stanza in fondo al corridoio, immersa in un buio azzurrognolo. Skeffington disse loro di aspettare un attimo prima di aprire e tutti e tre scivolarono fuori dalla porta che dava sul piccolo cortiletto coperto di neve. Si avviarono lungo il vialetto tenendosi bassi, con Cal nel mezzo. Ad un tratto una voce gridò: "Alt!" e sollevando per un istante lo sguardo Cal vide un berretto della Ruc sporgere sopra la siepe in fondo al giardino. Skeffington si immobilizzò; Cal si spostò leggermente di lato. Tra la baracca degli attrezzi e la carbonaia c'era un passaggio di circa mezzo metro. Crilly cercò di seguirlo, ma di nuovo la voce gridò: "Alt o sparo!" e Crilly si fermò. Cal sentì i vestiti che strisciavano e grattavano contro i muri; il sacchetto faceva rumore stropicciandosi, così Cal tirò fuori in fretta la bambola e lo lasciò cadere a terra. Trattenendo il respiro, scavalcò la recinzione che lo separava del giardino dei vicini e il filo di ferro mandò un cigolio sotto il suo peso. Strisciò sotto dei cespugli, terrorizzato all'idea che potessero vederlo sullo sfondo candido della neve, poi passò a carponi in mezzo a una siepe e sbucò nel giardino adiacente. Sentì voci rabbiose provenire dal cortile di Crilly. Le case erano disposte a schiera, quattro a quattro, e dal giardino in cui si trovava si poteva accedere alla strada. Tenendosi basso, Cal fece il giro della casa e si trovò davanti al cancello anteriore che dava sulla via. La gente aveva aperto le porte e guardava la Land Rover. Qualcuno urlò un insulto al poliziotto seduto al volante e una palla di neve atterrò con un tonfo sordo sul tetto della macchina. Alla palla di neve seguirono i sassi. Cal si incamminò il più indifferentemente possibile verso la strada principale, stringendosi al petto la bambola come fosse stata un bambino.

Arrivato all'angolo dell'ufficio postale entrò in una cabina telefonica e appoggiò la bambola sulla mensola: la testa le crollò in avanti, a fissare le ginocchia. Sulla parete c'era un riquadro con il numero del Telefono Confidenziale, ma qualcuno l'aveva imbrattato di fango o di sterco, fino a renderlo illeggibile. Cal lo ricostruì e lo compose: disse alla voce dall'altro capo del filo che c'era una bomba incendiaria nella biblioteca, in un libro intitolato *Middelmarch* di un certo Eliot. No, non sapeva se fosse l'unica. Riagganciò il ricevitore come fosse stato un lumacone viscido e uscì dalla cabina. Skeffington aveva ragione: era diventato un informatore.

Impiegò più di un'ora a tornare a casa, camminando sotto un cielo sgombro di nuvole e disseminato di stelle. Vide due stelle cadenti graffiare per un istante la notte. Faceva un freddo glaciale e per tenersi caldo Cal camminava a passo costante e sostenuto in mezzo alla strada, lungo la nera cicatrice di asfalto che era stato ripulito dalla neve. A quell'ora passavano poche macchine e nessuna si fermò per dargli un passaggio. Si chiese se Crilly o Skeffington avrebbero ceduto e fatto anche il suo nome. Per quanto andavano avanti a interrogarti? Era vero quello che aveva sentito dire, che ti facevano sputare l'anima a forza di calci? O ti riducevano a pezzi tenendoti sveglio e non dandoti tregua? Qualcuno gli aveva raccontato di un trucco che usavano: ti bendavano e poi ti mettevano su un elicottero che si alzava da terra, ma solo un paio di metri, dopodiché ti buttavano giù. O ancora ti strizzavano le palle... botte che non lasciavano segni. Cal era sicuro che Skeffington non avrebbe ceduto, ma Crilly non brillava per acume e chiunque avrebbe saputo metterlo con le spalle al muro.

Appena svoltata l'ultima curva sulla strada guardò istintivamente verso la fattoria e, vedendo una luce accesa al pian terreno, si mise a correre. Suonò il campanello e sentì la voce di Marcella chiedere: "Chi è?"

"Sono Cal."

La porta si aprì. Marcella era in camicia da notte e vestaglia e passandole accanto Cal sentì il suo profumo di pulito.

"Dove ti eri cacciato? Sono venuta a trovarti, ma non c'eri."

"Sono andato in città. Pensavo di trovarti alla biblioteca," spiegò lui. "Ho dovuto tornare a casa a piedi." Prese la bambola da sotto il braccio e gliela consegnò perché la desse a Lucy, scusandosi per non averla impacchettata. Marcella si profuse in ringraziamenti; stavano uno di fronte all'altra e si guardavano impacciati. Cal si slacciò la giacca a vento e si voltò con la schiena al camino. Lei gli sorrise e dopo un attimo di esitazione gli fece scivolare le braccia sotto la giacca, appoggiando la testa sulla sua camicia e sul suo cuore che batteva forte.

"Sprigioni freddo," disse.

Cal sentì il profumo dolce dei suoi capelli e la baciò sulla testa, tenendola stretta come per stritolarla. Avrebbe voluto dirle che aveva salvato la sua preziosa biblioteca, ma sapeva che sarebbe stata una storia troppo complicata. Avrebbe voluto essere sincero e aperto con lei, raccontarle tutto; spiegarle che gli avvenimenti della sua vita era sempre andati diversamente da quello che lui intendeva, che sembrava impossibile intervenire per cambiare il corso di quello che gli succedeva intorno. Faceva un sogno ricorrente in cui guidava una macchina, ma quando al momento critico girava il volante non succedeva nulla. L'auto continuava ad andare per chilometri e chilometri con il volante molle, e lui lo girava da una parte e dall'altra, come il timone di una nave, senza ottenere risultato. Alla fine andava a sbattere contro qualcosa: un muro, un'altra macchina. Una volta si era svegliato con un urlo in gola dopo aver visto i grandi occhi stupiti di un bambino che scomparivano sotto il cofano, mentre le ruote con un sobbalzo schiacciavano carne e ossa.

"Consolami, Cal!" disse Marcella.

Cal fece un passo indietro e le slacciò la vestaglia. Vi infilò sotto le mani, toccandole le spalle tonde. Attraverso la stoffa sottile sentiva le curve calde del suo corpo. La accarezzò dalla testa ai piedi, lasciando correre le mani leggere, senza interruzione. Fecero l'amore nel più assoluto, intenso silenzio.

"Tornano domani. E la mia vita ricomincerà a essere un frammento della loro."

"Perché non te ne vai? Trovati un appartamento, così potrò venire a trovarti."

"Sì, sembra così facile! Non so quante volte gliel'ho detto. Se solo non fossi così debole! Vorrei essere capace di litigare, di insultarla. Ma quando si arriva al dunque, è sempre lei ad avere la meglio. L'unico modo in cui potrei farcela sarebbe non essere qui al loro ritorno. È passato un anno ormai, e ogni volta che le dico che me ne vado succede qualcosa e lei riesce a convincermi a restare: per il bene di Lucy, per il bene del vecchio, dopo Pasqua..."

Cal le raccontò che avevano ricoverato suo padre.

"Proprio sotto le feste!" esclamò Marcella. "Devi venire a cena da noi la sera di Natale. Per me sarebbe un sollievo avere qualcuno con cui parlare. E sembrerà un gesto caritatevole. Lo farai per me?"

Cal annuì, anche se aveva la sensazione che non sarebbe successo. Tant'è vero che, nudo com'era, tornò a quattro zampe alla sedia su cui aveva buttato la giacca e le diede i suoi regali di Natale.

"Posso aprirli subito?" chiese lei. "Non riesco mai ad aspettare."

Si mise una goccia di profumo tra i seni e lo baciò. Poi cercò nel libro la crocifissione di Grünewald e lo girò per mostrargliela. Il peso della figura del Cristo piegava la croce come un arco; le mani erano rivolte a coppa verso il cielo come stelle marine inchiodate al legno; il corpo, con la cassa toracica tesa, era deformato in un ovale dal peso delle gambe; la carne portava le piaghe della flagellazione, la bocca aperta cercava ansante il respiro. Marcella, seduta sul pavimento con la schiena appoggiata al divano e le gambe incrociate, aveva girato il libro verso di lui, tenendolo appoggiato appena sotto il seno. Cal guardò le carni piagate e ferite del Cristo, che sembravano quasi devastate dai bubboni, e alle sue spalle il corpo liscio di Marcella: quell'immagine gli si impresse nella memoria.

Cenarono e andarono a letto a fare l'amore. Marcella gli fece promettere di andarsene prima che facesse giorno, perché Lucy non lo trovasse lì quando si svegliava. Giaceva accanto a lui di schiena, rannicchiata nella curva tra le cosce e la pancia di Cal, e parlava. Le pause si facero sempre più lunghe, finché tacque del tutto. Il suo respiro si fece profondo e regolare e la sua gamba diede un fremito nel sogno. Cal stava sveglio vicino a lei, con la guancia appoggiata sulla sua schiena nuda. La fiducia che gli aveva dimostrato addormentandosi di fianco a lui lo fece sentire ancora peggio. Sarebbe mai riuscito a dirle la verità? Forse scrivendole... In quel modo sarebbe riuscito a dire quello che intendeva senza confondersi. Poteva scriverle, e se lei gli avesse risposto poteva cominciare a sperare. Ma se fosse andata alla polizia? Una confessione scritta era una prova che bastava a mandarlo in galera per la maggior parte degli anni che gli restavano. Marcella era la cosa che desiderava di più e se non poteva starle vicino, tanto valeva finire in prigione. Se lo avessero preso – e aveva la sensazione incombente che non ci mancasse molto, ora che avevano arrestato Crilly e Skeffington – le avrebbe scritto per cercare di raccontarle come era andata. Ora l'aveva come la Bella Addormentata della sua fantasia. Allungò la mano a intingerla nei suoi umori, ma lei borbottò qualcosa nel sonno e incrociò le gambe, tagliandolo fuori. Cal la baciò sulla nuca, si alzò e si vestì al buio.

Camminava verso casa, accompagnato dai rumori del disgelo. Passando tra una nuvola e l'altra la luna illuminava il nero del vialetto sotto le impronte. L'aria si era fatta più calda e la neve si scioglieva colando sui lati della stradina. Era tutto un rumore di acqua che gocciolava, tintinnava, gorgogliava.

Il mattino dopo, la vigilia di Natale, come per tener fede a un appuntamento la polizia arrivò ad arrestarlo e Cal ascoltò l'accusa in piedi, con addosso i mutandoni di un morto, grato che finalmente qualcuno stesse per picchiarlo sino a ridurlo in fin di vita.

Stampa Grafica Sipiel
Milano, febbraio 1993